作夢 DREAMWORK 練習本

導演你的夢‧導演你的人生

瑪姬‧彼德斯（Maggie Peters）◎著　　鄭文琦◎譯

球房
地書

吉夢維何，笨皮夢罷

莊裕安（小兒科醫師・知名作家）

　　就我多年自習古典音樂經驗，先熟悉諸多名曲的旋律，再去研究樂理、流派與總譜，容易手到擒來。倘若反其道而行，一開始便陷入主題、呈示、再現的奏鳴曲式剖析，巴洛克、平均律、十二音列的正名運動，大都落荒而逃。因此，身為推薦導讀的第一個任務，就是奉勸各位先從本書後半部讀起。先吃光奶香蛋糕，再抄寫廚師如何調理高低筋麵粉比例與烘焙時間溫度，才不會無聊厭煩。

　　就我多年行醫經驗，幫人催眠或解夢是有錢拿的，不過得先考過精神科專業醫師執照。倘若給自己催眠或解夢，雖賺不到錢，但也不怕衛生署來取締。你不要天真以為，讀過一本解夢的書就能行騙江湖。但也別妄自菲薄，一旦你像學會塔羅牌、紫微斗數、占星命盤，來懂點解夢的原理，鐵定一生受用無窮。追求女友、巴結客戶、展露社交魅力、打發百無聊賴、解決生命過不去的關卡，某天你會發現這招大大受用。

　　就我多年寫書評經驗，沒有人會拿著佛洛伊德的處方百科構思作品。但在《佛洛伊德與中國現代作家》那本書裡，魯迅、郭沫若、郁達夫、沈從文、錢鍾書都牽扯不清。這些作家讀過《夢的解析》嗎？你懷疑。推而遠之，「很佛洛伊德」的作家，竟包括早佛洛伊德出生千百年的索福克里斯、尤里皮迪斯，乃至莎士比亞，他們當然沒讀過佛洛伊德。因之，就算從沒讀過佛洛伊德的人，也要生活

在佛洛伊德的陰影之下，HBO、Discovery、中天、大愛、
非凡財經、東森購物，生命中的每一個頻道保證都讓你遇
見佛洛伊德，以及這本書的作者Maggie Peters。

就我多年作夢經驗，人類因夢想而偉大。看來一無所
用的夢，你既不能拿來澆花，又不能拿去餵狗。看來一無
所是的夢，偏偏有花非花、霧非霧、夢非夢的本質。如果
你是創作的人，管它創作小說、詩篇、劇本、歌詞、廣告
文案、還是政黨宣傳，總有靈感疲乏的一天。你會發現釋
夢的邏輯，自我意識呼喚本我意識的密碼，會變成不折不
扣的降靈會，降下你無以為繼的新生靈感。最有名的例
子，莫過柯律芝那首出於熱暑午睡大夢的〈忽必烈汗〉。

就我多年生活經驗，我還有經驗之談嗎？有，我有個
小學同學叫李夢羆，沒有人知道他為何會有這麼奇怪的名
字。他父親是個普通的莊稼漢，也許祖父是個前清秀才。
我們一向都叫他的綽號「笨皮」，笨皮是一個無法翻成國字
的閩南語，把一大片豬皮炸乾油脂，剩下像鍋粑的曬乾硬
片，媽媽切細條來炒菜或煮湯。直到大學聯考那年，我才
遇見《詩經・小雅》那句「吉夢維何，維熊維羆」。到底誰
在那個晚上夢見一隻台灣黑熊？看來我得送李笨皮這本
書，他可以模仿書裡的造夢人，好好編織自己的身世。

第一部分
夢工程

感謝詞

　　我要將本書獻給兩位睿智的女性，瓊安・史娃洛（Joan Swallow），我的指導者、良師與益友，是我入門之初，並且尚在蹣跚學習的起步階段就無條件支持我的內在旅程的人。以及喬安娜・提姆森（Johanna Timson），與我情同姊妹，其關懷、溫柔的稟賦與內在小孩工作的技巧，深深滋潤了我的生命與學習。我永遠由衷感謝這兩位，並奉上我最真誠的感謝和愛。

瑪姬・彼德斯

2000年5月

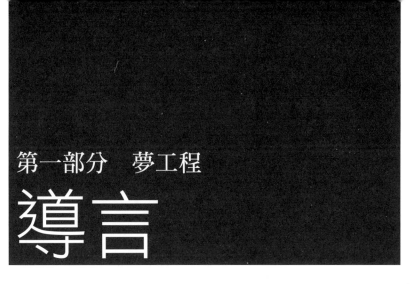

第一部分　夢工程

導言

　　我們無法完整了解內在的自我，我們的夢一夜又一夜的提醒自己，在每個夜晚裡，深植於內心的智慧之源，都保留了一切我們的行為、與一切可能成為的體悟。這種有益的力量，也可以稱為「造夢者」（Dream maker），將日常生活的經驗用未被查覺的潛意識意涵縫綴起來，讓那些被我們隱藏的感覺完全穿透，塑造成夢的素材。造夢者超越了邏輯、心靈的限制，對我們訴說著，由身體、心智、情緒、本能和直覺所表達的一切，以及經由這些所建構的想像、象徵和隱喻語彙。它渴望聽見我們的靈魂之歌，了解完整的自己。

　　打從一開始，人們就在找尋所有生命的意義。我們企圖理解我們的生命、發現自己在世界上的定位，這種永不滿足的尋找跨越了個人和集體的關懷。我們擁有自身文化裡古老傳承的資產，支援我們的搜尋旅程，不過有許多人已經失去它了。我們被片刻滿足的慾望、反向思考的對話、物質世界的需求、和科技發展的巨大成就所引誘，偏離了正道。然而「造夢者」依然記得，並且能夠重拾我們賴以恢復真實自我的一切。當我們願意尊重我們的夢境，學習它的語言，並將這份新的理解應用於日常生活中，我們就會更進一步，產生真實的存在與擁有，並且唱出獨一無二的歌聲。

這種透過夢的自我覺醒，對許多人而言，就像一種回家的感覺，像被遺忘許久的回憶，帶給我們的生命一種寬廣意識。在夢的領域裡，也像在最完美的神話寓言裡，轉變降臨了，「神奇的魔法」將我們還原到出生時本來的模樣。

二十年前我正處於個人的轉捩點，對於夢工程仍然一無所知。我獨居在英格蘭鄉間，還在適應突然失去伴侶、家庭，和工作的打擊，我感覺失去了一切支持。我僅有的自我認同發現自己似乎成了一個身無分文的單親家長，這些是我壓根想像不到的。我沒有錢去參加團體或諮商，雖然那或許會有點幫助；某天我在書店裡亂逛，關鍵的時刻卻在這時候從天而降。

我一個人待在哲學和心理學書區，有一本書卻從書架上掉落，一點也不誇張的砸在我的腳上！《同時性現象》（Synchronicity）──關於某種有意義巧合的分析技巧──這對我而言仍是一個全新的概念，但是，卻引起了我的好奇心，於是將那本書撿起來。那本書叫做《造夢者》（The Dream Makers），作者是加州心理學家理查‧柯瑞爾和約瑟夫‧哈特兩位博士（Dr Richard Corriere & Dr Joseph Hart），至今絕版已久。那本書和這本並非大相逕庭，亦包含了許多可供讀者自己在家進行的夢工程的練習。

由於生命裡的種種不幸，我當時做的夢都相當不安，充滿了拋棄、失敗，和孤立等痛苦的意象。我因此看見了許多可能性，買回那本書，並且直到現在，都還由衷地感謝它的作者。

剛開始那幾年，我藉由我的夢來了解自身內在的一切，尋求重建生活的方式，並且抱持著不與任何人溝通我內在觀點的想法。我想，大概是因為朋友和熟識者見證了我的改變

吧，於是他們也開始和我分享他們的夢，並且邀我去帶領他們的夢的分享團體和工作坊。

　　為了加強我在理解夢背後的心理學知識，我通過超個人心理學的完整訓練課程，成為心理治療師，同時逐漸發展出我自己的「夢的轉變工作方法」（Transformative Dreamwork approach）。我的工作拓展到包括提供住宿的工作坊，以及為期長達一到三年不等的非全日性課程，後者的授課對象是為了自己或為提升專業能力，而希望深入夢的旅程的朋友。

　　我受到最重要的影響，除了超個人心理學方法以外，還有就是奠定分析心理學的卡爾·榮格（Carl Jung），以及夢的先驅羅貝托·阿沙鳩里（譯註：Roberto Assagioli，1969年創立心理綜合學治療體系的精神科醫師，1974年過世，其心理綜合學體系全世界有超過120個中心。本書採用心靈工坊master系列的譯法。）他建構了心理綜合學（psychosynthesis，一種超個人心理學的心理分析分支）。偉大的當代超個人思想家、心理學家、作家，和愛作夢的詹姆斯·希爾曼（James Hillman）也影響深遠。

　　我同樣重視世界各大文化的神話傳承，古老的解夢傳統和許多部落的儀式。的確，我自己早期的工作是受到我在《造夢者》書裡讀到馬來西亞沙諾（Senoi）族人相關段落的啟發，這是一個生活在該區叢林裡的原住民部落。雖然被敵對的部落所包圍著，卻很少遭遇攻擊，並且據報告指出，他們都是相當和平、彼此合作的人們。

　　英國人類學者賀伯特·努恩（Herbert Noone）於1939年寫下了他對沙諾部落的研究，其中記載著其他部落害怕攻打他們，對他們強大的「魔法」心存恐懼，而魔法的要素，恰巧對於夢的研究有著深刻的貢獻。他們的一天從分享彼此的

夢開始，包括小孩子的夢，然後花時間討論夢中與白天生活相關的訊息，最後，他們再來決定該怎麼做。沙諾的「解夢者」（dreamworker）被形容是精神發展極其完備的人，是許多部族難以望其項背的。

賀伯特・努恩的發現立刻受到部分與他同時期人們的質疑，認為他憑空捏造出一個沙諾神話，好替自己的研究大作宣傳。這點從未獲得證實，但我很慶幸直到我真正相信「夢工程」之前，皆未曾聽說這些負面的聲音。無論是從哪裡誕生，即使它是無中生有的，所謂沙諾部落的「夢的工作方法」，仍然相當管用。

混合了原創、古典的與20世紀解夢傳統的「夢的轉變工作方法」，得到了許多回饋，也在許多生命領域中加以印證；從改善你和自我的關係，拓展到你和他人的關係。夢工程的效果，可以從你的家庭、你的職場中感受到，甚至在於增進你和朋友的關係、親密關係、你自己的創造力，以及既有的能力。

關於本書

這本書採用和我的訓練課程相同的體驗方式，它沒有過度的分析，也沒有詮釋，而是邀請夢的主人完全地參與事件、角色、象徵，或夢中所示的一切之中。你會在下面幾頁找到，不僅僅是一些相關的技巧，而且還是一種多重面向的取徑，雖有組織卻非常難以捉摸，雖不易掌握卻極其靈驗。裡面提供的練習幫你建立夢的工作技巧，而在此同時，你也會發展出更寬廣的意識——意識到自身的態度、慣有的行為模式、未被處理的情緒，和未被認知的能力等。

我將介紹許多技巧，教導你掌握夢的完整取徑。例如：

* 你將學到如何保持開放的走入一個夢中，發展出一種接納一切發現，而不帶任何判斷或審查的能力。
* 你將設定工作上的時間範圍，在設定的界限內工作，這些將會在感受到威脅時有所保障。
* 你將發現到如何創造一個夢工程的神聖空間，並且尊敬夢的智慧。為了把握其重點，拒絕在任何練習的時刻上受到打擾或分心旁騖。
* 你將了解到何時該說話，何時該靜默──什麼時候又該行動，或等待。
* 你將更能恢復自我的控制權，更少取悅他人，你將變得更為整合，或完整。

在你練習過上述所有技巧後，你就能明白隱藏在夢背後的某些心理意涵，這些理解，將讓你擁有發掘更多自我的信心與意願，和性格中的不同面向，發展出內在關係，並且將那種能力導入你所有覺醒的關係裡頭。你將開始轉變，最主要是態度的轉變，以及培養出更多對自己和他人的關懷。你將開始療癒舊的傷口，學會接納自己，認知到你本來的模樣已具足。我們都有陰暗的一面，我們需要找到拒絕我們的負向衝動、或付諸行動之間的平衡點。沒人是完美的，當一個凡夫俗子沒有什麼不好，你將學會脆弱就是偉大的力量，這其中的智慧就可以深刻的啟發我們。

夢的旅程

從夢的內容和它所喚起的反應開始，接著朝夢所指引的方向移動，你將學會連結現在和過去、夢裡和清醒的經驗。如此一來，你就可以找到將新的智慧帶入日常生活的方法。同時，你將可以化洞察為行動，並且發現更有效、更合適的

方式來回應挑戰的處境。

這是一本高度互動性的手冊，反映著你和你獨特的夢之間的互動，假如你只是讀它，隨便瀏覽練習的部分，你將錯過許多精華。唯有你自己作的夢和後續的功課裡，會帶給你生動的夢工程體驗。你所發現到的深度，哪怕是最前面的章節，都會令你感到震驚。

當你選擇了要讀這本書，你就允諾了將進行一趟深遠的旅程了。跟著你的夢，就是追逐內在的智慧，每一步都有可能帶你踏上未知的道路，踏上未曾標明的全新領域。請嚴肅以對，因為它很可能對你的生命產成巨大的影響。本書的功能有如旅遊嚮導，提供你地圖或指引；它就像一個熟悉某個地區，且陪著你一起旅行的夥伴。

出發前的一些準備

你現在也許要暫停一會兒，想像一下，自己站在一道生命的門檻前。從回顧你身後最近走過的想像地貌開始；對現在的你而言，它看起來如何？它是一趟不一樣的旅程嗎？哪些是你特別鍾愛的片斷？哪些又是你自己一個人走過的？

現在，判斷一下你目前所在的位置，就在那個象徵的門檻之前。這是一個什麼樣的地方？它喚起你什麼樣的感覺？你可能感覺到想要在此稍作停留。

等你覺得準備好以後，看一看你前方將要展開的旅程。它是另一種不同的風景，還是相同多於不同？你可以看到前方多遠的路？你要走的道路上有任何障礙物嗎？你還要什麼東西才能開始這趟旅程？

想像一下你已經擁有你所需裝備的一切，你踏出個人旅程的最初幾步了。準備好要長途旅行，是什麼樣的感覺？刺

激？緊張兮兮？充滿喜悅？或者「沒什麼特別的」？

我希望，這趟夢的旅程將引領你回到自我，並且重新發現真實的自我（Self），當然這需要時間和堅持。別放棄，也不要被絕望、不耐煩或犬儒主義（譯註：cynicism，意指失去熱情而冷嘲熱諷的處世態度。）所擊垮。繼續與它同行，這些功課的代價絕對是值得付出的。我的學生曾說：「這些功課使我們獲益良多……還能應用在我們的生活之中。」

當你準備好之後，便翻開下一頁，你就可以真正踏上旅程了！

第1章
啟程

　　每個人幾乎都作過某個記憶深刻、令他們迷惑的夢。可能是最近的夢，但也很可能是許久以前作過的夢，甚至可能遠至幼童時期。每當我在社交場合認識某些初次見面的朋友，他們一聽說我的工作，就不由自主的想要與我分享這種夢。當他們這麼做的時候，特別的事情就發生了。夢的訴說，立刻自我揭露了多年來仍不曾減損的鮮明能量。分享者被這種能量的本質所驅動，客套性的對話開場被拋到腦後，在充滿想像力的夢境裡，我們被更有意義地連結起來。並分別根據夢的性質，以某種敬畏、恐懼不安、驚嘆的感覺，甚至激動的好奇，去訴說這個夢，而作夢的人也再一次經驗到那原始的情緒反應。等到夢結束了，我總是不可避免的被他們問到：「告訴我，這個夢究竟是什麼意思？」

　　當我回答我真的不知道的時候，總會引來某些驚訝！人們接觸夢的工作，多少會期待著，自己所作的夢能被解釋。當我建議，或許他們可以自己召喚那些夢的時候，他們不禁迷惑了。我並非從事解夢的職業，但是，我或許能夠充分地評估夢的強大影響，並且指出這些夢對於每位作夢者所具備的意義。如果這麼做是妥當的，我們或許可以建議，當這個人接下來獨處時，可以問關於這個夢哪些問題，好讓他們能

夠自己誘發出真正的意義。透過我們自身夢的工作，我們就能夠擁有獨特的洞察力，獲得發展新技巧和認知的自信心，而不是只會依賴別人的詮釋，無論他們說得多麼頭頭是道。

夢的類型

是什麼原因，使得某些夢如此牢固地鑲嵌在我們的記憶裡，並持續糾纏著我們，往往事隔多年後又突然想起？幾乎沒有人曾經提起，有哪個夢是天天一再重新上演的，然而，假如我們選擇要處理這樣的題材，我們很快就辨認出，每個單獨的夢都帶著重要的訊息，而且每個夢都和我們最愛與人分享的那些強烈意象一樣重要。

選擇加入夢工程的人們，非常快就會了解這點。有些人出於好奇來參加，有點是類似「我以前練過瑜珈，不知道夢的工作是幹什麼的，也來試試看吧！」這樣的心態。有些人則意識到生活裡有些面向在困擾著他們，儘管他們可能還無法釐清究竟是為什麼。某些人有特殊的難題，他們希望處理這些問題，而且還感覺到他們的夢已經和答案發生連結。無論人們基於何種理由，他們的夢遲早都會帶領他們進入過去的創傷之中。

我們每一個人都帶著過去的傷口。我們所不能理解的是，這個舊日的創傷如何左右了我們現在的生命，影響了我們的選擇，無謂地限制了我們的經驗。有鑑於此，我們這個取徑方式特別留意感覺和情緒，一但人們理解到他們最羞恥的感覺能被重視和被充分接納之後，就不再需要習慣性的否認和偽裝了。這種表面上的脆弱性隨即被理解為強大的力量，我們需要勇氣去揭露自己的傷口，即使在面對自己的時候，但這只是藉夢的工作增長我們的能力（譯註：原文為

empowerment，意指獲得激發自身內在的力量；灌頂也可以用這個英文。）的第一步。通常它會帶來釋放和鬆懈下來的感受，那是一種心胸寬廣的，不尋常的自在感覺。

跟隨夢的指引，人們就能幫忙自己，找到療癒傷口的方法，看著他們增長自信和慈悲，是我的生命中最滿足的事情。即使是一開始最害怕和最不情願的人，他們的堅持也將換來極大的報酬。

現在讓我們來看一看，這些人踏上與夢工程的道路時，會探討到的一些夢的類型。

原型夢

此一類型涵蓋了許多「大夢」（big dream），這個詞彙是偉大的心理學家卡爾·榮格所創的，他在工作過程中體認到，並非所有的夢都是純粹個人的，有些似乎源於自我之外。這些夢蘊藏著強大的情緒，有時候引發出某種超越了我們個體或家族的經驗及歷史範圍的知覺（knowing）。它們源出於集體潛意識，即榮格所說的：「……一個歷史記憶的巨大儲藏槽，那裡保存了人類的集體記憶，在本質上，相當於人類全體的歷史。」（出自榮格演講稿）這就是原型的出處，每種原型都是某種關乎特定人類行為的偉大能量所驅策的意象。原型強化了我們的生命原色，帶來被遺忘已久的意義層面，並藉此豐富我們當下的經驗。

例如，原型的陰性，可能顯現為眾所週知的處女、母親，和老嫗，每一個都是三頭女神（Triple Headed Goddess）的其中一種臉孔，這是幾乎普遍被發現於所有文化的、最原始的三位一體神祇。祂極度的人性化，可以在夢裡顯現為「純真小孩」（Inncent Child）、理念化的「完美母

親」（Good Mother），或「智慧女性」（Wise Woman）的不同臉孔。但是她的臉又遠超過三個，而且每個臉都還有負面、駭人的另一面。

某種陽性的能量則可能採取「綠人」（Green Man）的形態，它與重要的異教神祇牧神潘（Pan）有關係。它還暗示了現代「文明」男人內在的那種「狂野男性」（Wild Man），驅使他們背棄理性、清醒的思考方式，回到肉體以及他們跟土地的強烈連結。綠人可能會在某人無法繼續忍受限制時，闖進某個夢裡；他會拆毀傳統牢籠的鐵條，破壞常規和結構。或許他會偽裝成「森林老人」（Old Man of the Woods），他告訴男人古老的教條，誘惑他們離開電腦，回歸大自然，並且深入滋養自我。

這些能量可能帶來比生命本身還強大的感覺，就像在夢魘裡頭，舉例來說，我們如今會將惡夢，和部分常見的「原」夢類型同等觀之；這些夢會引起我們的好奇，即使它們是會令我們心神不寧的。（我們將在第六章繼續「原型」的主題。）

惡夢

我們都很熟悉，這些強烈或嚇人的夢出現的時機，通常都在我們的生命出了差錯的時候。正如它們確實能將我們自睡夢驚醒，它們也能「喚醒我們」那些出錯的部分。在那之前，清醒的事件或其他夢裡已經出現過了某些細微的徵兆，而我們卻未能認出，或選擇忽略它們，於是造夢者就會送給我們一份絕對無法視而不見的禮物！不管看起來多麼嚇人，每個惡夢都是一份禮物。它是種象徵的訊息，必須被理解和嚴肅以對。這些夢似乎呈現了我們最深的恐懼，而且留給我

們某種恐怖的感受。事實上，幾乎所有的惡夢都象徵性地描述了某些已發生過的事情！

底下這個悲傷但智慧的夢是由艾瑪告訴我的，這位有魅力且愛挑剔的年輕女性，正需要接受一種結腸造口術。在開刀復元期間，她作了個可怕的惡夢。

在夢中，她最寵愛的小狗，在她屋外的街道被車子輾過，最後主人在排水溝裡找到牠，已經斷成了好幾截。艾瑪一邊告訴我一邊啜泣不已，不斷地說：

「為什麼有人會對這麼可愛的小傢伙做出這種事呢？我真不敢讓牠到屋外去，以免惡夢成真！」

當我詢問小狗的傷口時，答案剛好是在腹部。「牠的腸子都流出來了！」艾瑪解釋道。

我們來思考這件事情，以及她所反應的情緒強度，還有那隻小狗被發現的地點是在水溝。（譯註：英文裡的水溝gutter只比腸子gut多了一個尾音節。）顯然夢中的愛犬代表了艾瑪，

牠的軀體經歷了和她相似的創傷，後者則是由於外科手術所致。藉著被迫面對夢中的情境，她才有力量去接受自身的病痛，去感受、並且表達那殘酷的打擊；透過她對小狗的同情，艾瑪開始憐憫自身的遭遇。將這個惡夢擺在這樣的背景之中，她也就釋放她對小狗的擔憂了。

在不幸的事件發生時，我們學會很有技巧地和痛苦的感覺分割開來，惡夢很可能只是想要重新建立我們和合適的感受間的正確連結吧！無論惡夢有多麼失序。作惡夢，也有助於我們發現在劇變處境裡的新行為模式。許多這類嚇人的惡夢最早都是在幼童時代發生的，當我們初次理解到我們必須全然依賴雙親，或者那些照顧我們的保護者；縱然這些成年照顧者在面臨重大威脅時，也會相對地感受到軟弱無助或者沒有能力自衛。有時候，兒童的威脅也可能是某個虐待小孩的父母或照顧者，在自我的發展階段，幼小的孩童必須擁有安全無憂的環境，當他開始認知到自己和雙親是分離的個體的時候。許多恐懼可能來自於這個時期，導致了重複的夢魘，也就是三歲大時的「夜晚恐懼症」。即使成年後，我們也可能再次經歷童年的夢魘，當我們置身於喚起類似感受的情境時。

在《造夢者》一書，柯瑞爾和哈特告訴我們，沙諾部落的小孩被惡夢驚醒時，是怎麼處理的。

與其哄騙小孩「那只是個夢」，父母反而很認真的，一邊安撫小傢伙，一邊詢問：

「你被什麼嚇到，我的孩子？」

那個孩童可能這樣回答：「我正走過森林，突然聽見背後傳來很大的聲音，有一隻老虎正在追趕我！」

父親很可能會繼續追問：「你怎麼做，孩子？」

「我大聲尖叫，同時拔腿就跑！」孩童可能這樣回答。

「這麼做很好，我的孩子。不過要記得，這是你作的夢，你不需要害怕什麼。假如你下次夢到它，只要轉過身來，面對那隻老虎，你知道自己可以擁有任何道具——以及任何幫助者——你可以選擇一項，然後你就可以對那隻老虎說：『停下來！你來我的夢裡做什麼？你嚇壞我了；你知道嗎？你想要做什麼？』」

想像一下這項技巧如何激發一個受驚嚇的孩童，給予他們在這個世界上有其地位的意識，並且鼓勵自尊與自信。光是理解到有「夢的幫助者」（dream helper）可以支援我們這件事，就可以在需要求助的惡夢裡，自動召喚它們出來。我見證過許多次，甚至是那些起初不相信這種觀念的人。

讓我們來看一個例子：假設，你在某個夢中，發現自己正在遊蕩，獨自一人迷失在某個充滿敵意的陌生國度裡，那麼你知道你可以邀請某個當地人，某個在當地擁有生存的知識和技能的朋友，來擔任你夢的幫助者嗎？這並不是說，你要去觀想這個人應該看起來如何，應該做了什麼？只要發出呼叫，合適的助力就會應聲而至。

只要認知到這種可能性，就能派上用場。例如，有個剛接觸夢的工作的女人，已經能夠在開始時就打斷原本令她恐懼的連續再現惡夢。她發現自己想到：「瑪姬說我不用作惡夢！」瞬間，她的旁邊就出現了一個高大、可靠的男人，帶她通過危險的情境。當她感到害怕時，她就將臉埋在男人的肩膀裡，終於第一次，她不再恐懼地作完那個夢。後來，她告訴我她再也沒做過那個夢了。

這種練習是某種古老傳承的延續。希臘神話裡就有許多英雄的案例是有關於主角如何在自己的旅程中，找到他所倚

賴的重要幫助者。當賽修斯（Theseus）準備踏進米諾斯（Minotaur）的迷宮與牛頭怪物（譯註：Minotaur，金牛座神話，Minos國王得罪宙斯，使得國王之妻懷了牛的孩子，生下一個牛頭人身的大力怪物。）決鬥時，公主愛瑞雅妮（Ariadne）就送給他一捲線球，好讓他能夠循線找到出路。波修斯（Perseus）擁有一面可以反射蛇髮梅杜莎（譯註：Medusa，英仙座神話，波修斯所完成的任務之一，將蛇髮女妖殺死。）影像的盾牌，這樣一來，他就不怕被梅杜莎的目光變成石像，而手刃禍害。但是你不需要是英雄，受害者也可以有自己的幫助者。安多洛美達（譯註：Andromeda，仙女座神話，波修斯從海怪口中解救的古伊索匹雅公主。）被綁在岩石上，當成祭品獻給海怪，正在等死之際，是波修斯解救了她。許多神話故事都舉證歷歷了處理「惡夢情境」的創意方法，只要閱讀神話，就足以開啟我們內在的創造想像之門，無論在睡夢或清醒時，它都能為我們服務。

再現夢

　　再現夢和惡夢有許多共通點，企圖透過其中喚醒我們對生命中，抗拒成長的某個面向的注意力。它們通常比較沒那麼嚇人，熟悉卻令人苦思不解，並且可能讓人相當懊惱，特別是我們發現置身於相似的背景下，一遍又一遍地重複著相同的行為時。這種夢向我們顯現了隱藏的焦慮和害怕，它們印證了我們多麼善於自我重複，通常是出於習慣，無法意識到我們如何因習性使然而落入特定的模式，而且似乎沒有能力改善任何事情。這樣的夢，通常會發生在我們又無意識地陷入某段關係、或處境裡的頭一兩個夜晚；在某些方面而言，這種關係或處境是令我們「喪失自我」的，或者是「不

符合本性」的作爲。

假如你作了這種夢，請仔細地回顧一下在你作這個夢之前連續幾天的清醒時刻，有什麼事情正在進行？試著找到類似的事件、感覺、關係或對話。再現的夢正提醒你，別忘了去察覺習慣性的行爲模式，並且，找到更有效率及正確的存在方式。

認知前夢

這種夢，在某個層次上，可能留給我們一種似曾相識的不明所以狀態，特別是我們清醒時進行的瑣碎事件，竟然如實地反映了早先某個夢境的時刻。有時它們代表了一種混亂而衝擊的情境，舉例來說，某人夢到一則可怕的空難的時間，正好在某個地方隨即發生了類似的災難。像在這種時候，作夢者會常常覺得有罪惡感：「我應該可以做些什麼，來阻止事情發生的！」

通常他們什麼也不能做，何況空難的意象可能對照到任何班機、任何航線、任何時間，和全世界的任何地點。要接受自己從心靈上「切換」到某個尚未發生的眞實事件，可能會讓你覺得不舒服。也許，將你的心靈能力視爲某種隨機的取向會有點幫助，就像是一台收音機，當你正要調到平常收聽的頻道時，不小心調到了另一個電台。也許在我們之中，有人眞的擁有完全開發的特殊直覺、或「第六感」，讓我們能接收到我們正常的線性時空之外的意象。這種夢沒有理性的解釋，也許這種靈敏的狀態，在我們的腦袋還昏昏欲睡時、在我們意識清明的大腦尚未控制局面時，特別容易出現吧！它可以在我們睡夢之際，或在似睡似醒做白日夢的時刻出現，因爲這種靈光一現的預兆方式，也可能在清醒的時刻平

空出現。我相信很久以前，我們還處在人類演化的早期階段時，所有人都有預知事件的能力，因此當我們又意外重拾這項天賦時，也就不需要大驚小怪了。

象徵夢

象徵夢是個源源不絕的迷人主題，它們是深具啟發性的表達形式，也是評估某種可能被高估或輕忽之事物價值的方式。每個象徵總是傳達得比第一次出現的還要多，並且透過直覺的層次對我們訴說。例如，某個長柄的鐮刀將傳達普遍的象徵意義，透過與古希臘神祇克羅諾斯（Cronos）、同時也是時間老父（Old Father Time）和死神（譯註：Grim Reaper，收割之神，拿著一個大鐮刀的西洋死神。）的連結。對於過去歷代的農夫來說，它應該還表達了苦工和傳統方法，但對現代的農人來說，它可能意味著某種退步。幾乎所有我們夢到的事物都可以成為象徵，從一粒卵石到一顆星辰，然而，無論通常如何解讀的意義為何，它都會與我們的個人經驗有所連結加乘。

這些夢可能是美麗或恐怖的，不過它們都會和我們在一起，引發出某種魅力。我們或許不了解它們，可是我們能感受到它們的價值。我們必須學習體會象徵，並且找到它在我們白天生活裡被安頓的位置。第五章則提供我們一些和夢的象徵工作的引導。

不思議夢

（譯註：Wondrous dream，原文有神蹟或聖靈的意味，但與本地文化傳統不甚符合，故改翻為不思議或不可思議較恰當。）

這種夢彷彿帶有靈感，可能讓我們全身充滿了敬畏或謙

遜，提醒了我們置身於宇宙之中的真實地位。它們可能提供令人觀之屏息的宗教圖像，以及治療訊息，創造出一種天地之美的臣服體驗，或出現唯有從外太空才可能目睹的地球視野。在這類夢裡，我們可以像鳥類一樣地飛翔、像魚類一樣地游水，穿越岩石，或者跟海豚、獨角獸，和龍作親密溝通。而在我們試圖描述它們的時候，它們也能釋放出無邊的創造性，或者在我們冥想其畫面時後，湧現出最深層的內在寧靜。

正視你的夢

原型「大夢」的表達是點綴在眾多世俗的夢境之間，以至於我們會發現，並不是那麼容易去珍視與記憶。但即使最短，或表面上最沉悶的夢都帶來訊息，我們不可能等到像史蒂芬‧史匹柏式的夢，才帶來夢工程吧！然而，我們的確該訓練自己去接收每個夢的訊息，如同有其深意的話語。

夢不會告訴我們已知的事情，只會向我們展示更深層的部分。我們將先入為主的想法認識，視為唯一的真實傾向，可能讓我們忽略了真正有價值的洞見。我們必須建立「這個、那個、還有這個」的態度，取代「非此即彼」。全面地紀錄下較短的夢、零星的片斷或部分，甚至單獨的意象，並且和它們一起工作。

當我們回到我們的夢裡，和它們一起工作時，我們必須提醒自己，在夢工程裡沒有什麼是不變或肯定的，每一件事都會改變，而且事情不是永遠像它們看起來那樣。惡夢可以成為珍貴的禮物，如同喚起我們的焦慮、也可能幫我們找到解決之道的再現夢。夢的象徵可以啟發我們的生命對某些極端面的體會。在夢的工作裡，沒有對也沒有錯，只有不同的

存在與處事方式；沒有絕對性的事物，只有許多創造力的可能性。我們必須學會如何對真實的自我保持開放，接受我們在夢中的任何發現。依循夢的道路，便能帶領我們走上熟悉的旅途，但又能以不同的觀點來看待一切。擺脫世俗的拘束，我們會發現自己正在探索一片全新的風景！

與夢工作之前的準備

讀到這裡，現在，是你開始面對你的夢，並將它們紀錄下來的時候了。你必須按照底下的順序，逐章地進行這些練習，好讓你的意識心靈能夠持續地進展，通過隱密和複雜的夢工程，保持緩慢，放心，和強壯。

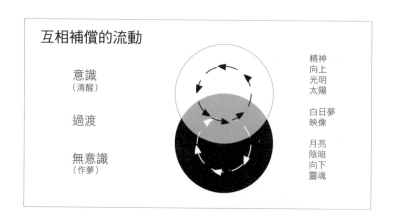

你可以想像無意識像一個幾乎未知的巨大領域，這個領域有自己的法則，假如我們要深入其中，就必須加以尊敬。它通常是象徵性地由一塊黑暗的領土所代表，位在我們下方的某個位置，因此我們必須向下才有辦法進入其中。這麼做可能讓我們感到不安，因為我們本能的感受到這種地方所擁

有的能量與危險。我們是應該小心謹慎沒錯，但是，倘若我們步步為營，就不需要覺得害怕。畢竟，每個夜晚我們入睡以後，我們都會讓出意識，由於疲憊不堪，向無意識屈服。等到我們睡著以後，便在這個國度裡旅行，創造出夢醒後所記得的意象、感知、象徵、情境，及角色；我們無須費力便完成從醒來、睡著、作夢，又醒來的自然循環，同時帶著無意識裡的材料回到表面。這能不說是神奇嗎？我們都經驗過這個過程，可是我們並沒有帶著覺察旅行，我們只是周而復始！而整合過的「轉變夢的工作方法」包含了發展有所選擇地進入不同意識狀態的能力，如此一來，我們就可以拓展並發展出我們對於夢這份賜予的理解。

由於我們的文化不再重視夢，我們遺忘了我們的解夢傳統，失去了我們曾經賴以回憶並與夢應對的細膩技巧，還有根據那些技巧，留給那個世界的崇敬與尊重的空間。我們必須重新創造那些技巧，紀錄下與夢工作的古老方法，將之整理成適合21世紀的做法。

首先，我們必需找到一個介於意識和無意識、睡眠和清醒的過渡空間。上一頁的圖解展示了互補的流動：每個夜裡我們通過睡眠而下沉，蒐集夢的素材並帶回表面，用我們的意識心靈接收它們。請留意夢在無意識裡所激盪起的漣漪，將待我們再度入睡後獲得回應，因此帶給我們相關的、連續的夢。

灰階的部分代表了過渡空間，是我們和夢不再連接的地方，仍保有足夠幫我們定位的意識知覺，讓我們不至於漂流而迷失在黑暗裡。這個空間被柔和、朦朧的月光所覆蓋，所以還可以看得見，但，卻使景物顯得較不清楚，也更難以辨認，雖然說看起來很美。在月光下，熟悉的事物看起來有點

不一樣，也改變了我們的認知。在這種反射的光線下，夢成了我們的一面鏡子，提供我們自身某些方面的驚鴻一瞥。然後我們可以從容的，帶著夢中的學習上升到陽光底下，進入清醒的意識。在那裡我們可以知道怎樣安頓新的智識，可以選擇我們要怎樣運用它。紀錄夢的旅程，還可以幫你將你的夢帶進清醒的意識裡。

創造屬於自己夢的日誌

夢的日誌是某種對你而言，可以立刻變得非常珍貴的筆記或剪貼簿。本書裡的練習作業，任何圖畫、標記，甚至詩都紀錄了你的夢，你關於夢的思想或感受，任何可能的聯想。一本夢的日誌會自然而然發展成高度個人化的，親密的自傳體紀錄。你可能不希望被任何人看過，因為它暴露了太多，而且，也可能因為你正在嘗試新的表達形式，因此，假如被任何人偷看到的話，可能會讓你覺得受傷。找到一個安全的地方，然後將它保存好。

藉著裝飾日誌的封面，某個夢的標誌或其他帶有你個人意涵的事物，試著賦予你的日誌個性。即使只是裹上一層美觀的包裝紙都會有所不同。假如你愛畫圖，那種同時有橫紋和空白兩種頁面選擇的日誌可能很適合你，或是你比較想要扣環式的活頁夾和記事本，這樣才方便加入圖畫、文章和其他重要的紀錄。讓你的日誌和你的夢一樣美妙！假如你現在的心情比較陰沉，像是覆蓋灰塵、低調的顏色，就讓你的日誌反映這點，找到你認為最合適的表現。

為了協助紀錄你的夢，你需要在晚上，將一本日誌和一支筆放在床邊容易拿到的地方。這樣你就不用離開床去找到日誌和筆，以至於遺漏了夢境。更明智的做法可能是改變你

晨間的例行作息，因爲在記下你的夢以前，將你的注意力轉移到瑜珈、靜坐、泡茶或洗澡上頭，極有可能讓你忘記了部分夢的細節。

假如你在夜間自夢中驚醒，你可以選擇要醒過來以記下整個夢境，或者，只記下關鍵性的字眼，希望可以在早上重溫夢境。這種方法有時候管用，但其他時候則沒有用。藉由嘗試和錯誤，找到最適合你和你生活型態的做法。自己一個人睡在這裡當然沒什麼問題，不過凌晨三點起床坐在床邊、開燈寫下夢境，恐怕就需要和另一半協調了！用手電筒或許是比較可行，也比較不會干擾到別人，或者可行的話，你的日誌上可以安裝一個低功率電池的夜間照明物。有的人喜歡對著手持錄音裝置說話，晚一點再來整理夢的紀錄。花點時間找到最適合你的作業方式。

可能的話，試著用現在式的時態。使用過去式會使你和夢更疏遠，在你重新捕捉它們的時候。寫「我正在」會比緬懷似的「我剛剛」更直接、更生動。讓你自己完整而不被打斷地書寫，有個驚人的發現，也許是後見之明，你實際紀錄下來的夢的體驗有多麼貧乏！

在你向前或向後移動以辨認夢中主題、象徵、角色的時候，替每個夢都下一個標題，可以是一個後來會相當管用的即時捕捉方法。大致瀏覽一下，意指你不必鉅細靡遺地讀每個夢。標題可以將夢中所發生的、對你有意義的事情具象化，記下每回出場的夢也很重要，夢是如此神聖和難以捕捉的，因此這些早期階段的基本任務就是建立一個良好而適切的收容所，來協助保存夢的能量。這句話在很多方面來說是象徵的，然而書寫夢的日誌卻是個現成的；以下我們示範利用組織和規律來塑造捕捉夢能量這個容器的方法。

練習一：醒時導引

* 拿起你的筆，和夢的日誌，開始自問以下問題，寫下答案作為日誌的第一篇開場。寫的時候不要花超過20分鐘。

* 你希望在夢工程中得到什麼？此刻在你的生命中，是什麼力量帶你來到夢工程？你尋求了解或解決特定領域的問題嗎？諸如：人際關係、想發現目標或方向感、想來處理某個失落，讓你在疾病後重返人生軌道，還是，解放你的創造力？

* 更常見的，是一種不滿或困住的感覺，刺激你和你的夢工程嗎？你感覺被擊倒了，發現過去的存在準則都不再支持你了嗎？你只是單純的好奇？還是你已經處理過一些夢工程，準備更深入地探索夢中呢？

記憶你的夢

假如我們可以睡到自然醒，記得夢的機率會比較高。刺耳的鬧鈴或吵鬧的收音機起床號，可能太匆忙地將我們完全驚醒，使得我們沒有暫時和夜間的經驗維持連結的過渡時間。更不用說，你那兩歲大的小孩措手不及地跳到你的床上，那是一樣的效果了！通常不太容易有完全不受干擾的15、20分鐘時間，能讓你慢慢回想或寫下你的夢。你可能必須很倉促地抓住片刻工夫，草草記下隻字片語以協助保存夢的記憶，等到你可以回來更詳實地紀錄它的時候。試著每晚告訴自己，你會在鬧鐘響起前15分鐘提前醒過來，如此便有時間保留你的夢。你可以這麼作，如果你真的想要，相較於這麼有收穫的新嗜好來說，提早起床並不算是太大的代價。明早試試下面的這段練習，在一睡醒的時候，你的日誌和筆

將派上用場。

練習二：夢的接收

*當你醒過來，只要安靜地在床上躺一會兒，召回你的夢。有時候夢很鮮明，我們一醒過來就歷歷在目，但通常是我們忘得一乾二淨。這樣的話，就花一點時間和你的身體連結。

*那是個什麼樣的夢：輕鬆的或緊張的，精力充沛或疲憊不堪？

*接著，喚回你的感覺，你的心情如何？也許你感受到一股難以言表的焦慮或恐懼，或者是無憂或喜樂的感覺？這些感覺，很有可能會在身體裡定居下來，在那裡尋求表達。你感覺得到有些緊張，或者胸口、喉嚨的緊繃感嗎？總之，你的身體今天早上感覺如何？

*現在移到你的思緒，你的腦海此刻想到什麼？你慢慢地轉移到關於白天的線索嗎？你立刻完全清醒過來嗎？你的大腦已經遠遠跑在前頭，計畫一天的行程？假如你已經完全甦醒，試著要求你的大腦，在你重新和你的夢連結的時候稍微退到旁邊一會兒。

*等到你核對完這些事項以後，你可能想起了某個夢。假如沒有，那就寫下你前一晚的體驗。你睡得是多麼熟或多麼糟糕？（假如有）什麼東西干擾你的睡眠？記下你的身體、感覺，和大腦對這個還未養成習慣的晨間診察活動的回應。

耐心一點，畢竟夜復一夜，你的夢永遠都在那裡，從童年開始，而你很可能從未或很少留意過它們。假如你的心理必須花點時間登錄這項新的劇變，恐怕也不足為奇吧。假如

你有記憶夢的困難，那麼你可能需要嘗試下述練習的建議：

練習三：記憶

* 在你入睡以前，花一點時間回顧你的一天。今天你發生了什麼？留下哪些值得回憶的時刻？遇見了哪些人？你和他們相處得如何？獲得了挑戰、批評、成就或讚譽？這些如何在實際上或情緒上對你產生影響？你如何回應？是理性或激動，充分理解還是充滿困惑？回顧之餘，這一切讓現在的你擁有什麼感覺？帶著後見之明來看，你可能做出全然不同的行為或回應嗎？你的白晝可以列舉出哪些好的特質？專注在這些特質上面，同時讓自己沉入夢鄉。

* 開始思索你記得的上一個夢。雖然你可能還不了解它的寓意，你可以確信的是，它包含了關於你的某個人生面向的豐富資訊。感謝它為你而出現，也邀請它來到你的下一個夢中。

* 在你將要入睡之際呼喚夢的降臨。只要發出念頭，或者記下簡短的紙抄，將它置於你的枕頭下以資強化印象。重複三次呼喚將確立你要與夢工作的意圖，而且「3」也是傳統上被視為與魔法有關的數字。（神仙總是答應實現三個願望！）

* 給自己準備一個護身符：一個小小的、天然的物品，可以是特別專屬於夢的工作的。選擇某個單純而美麗的，讓你感覺美好的東西。握在你的手裡，確認你要記住夢的意圖，詢問你的護身符是不是能幫你做到這點。將它放在你的床邊，在你準備入睡之時，用手握著一會。在你醒來的時候也伸手去握住它，讓它為你

召回你的夢。

＊設計一套簡單的，你專屬的召喚夢的儀式，然後每天晚上入睡，或每天早晨醒來以前都執行一次。

＊假如這一切都沒有達到你想要的效果，你應該思考一下，是什麼妨礙了你：是你內在的什麼人，或什麼能量，不希望你記住自己的夢，甚至即使你已經正式出發，也感受到夢之旅程的意願？

和自我對話

隨著我們接近第一章的結尾，很顯然的，我們的夢將帶領我們達到一種完整的自我對話。簡單的解釋是，我們的自我意識只能把握住少許自我的能量，和我們的人格連結，也就是我們在所遇到的人面前所展現的自己，誠然，也是我們所以為的自己。然而我們的夢向我們透露了我們真實的面貌，夢這麼做的其中一種做法是，幫助我們看見我們在和別人的關係中如何互動。我們夢中的角色很可能是我們清醒時認識或知道的人，而對方在夢中的現身，可能透露了關於那個人的某些事。但，它也有可能是透過那個角色，向我們展現了自己的內在不被理解的面向。

因此在一個女人的夢中，和在清醒時分裡的男人可能印證她「阿尼瑪斯」（譯註：animus，榮格所謂的女人內在男性。）的態度或行為，「內在男性」，這個榮格所提出的專有名詞，是指每個女人裡帶著陽性能量的內在男性。同樣的，在男人夢到女性時，他們可能不自覺地認識了他們的阿尼瑪——內在女性。權威的夢中人物可能帶著我們內在父母的某些特質，夢中出現的小孩，則可以讓我們聯結到我們的內在小孩。這個小孩可能是歡樂的、頑皮的、被遺棄的、受傷的等等。我

們的內在都可能孕育著許多象徵的「小孩」，我們在不同階段的客串形象。每個小孩都保留了該時期獨特的能量與其存在方式。

這些出現在我們夢中的象徵人格，部分擁有負面和破壞性的力量，雖然部分則是正向和建設性的。我們大多數人都有一個內在的法官、異議者、檢察官，或破壞份子，它總是無時不在侵蝕著我們的自信、阻撓著我們達成目標的意圖。當你與夢的工作到有所進展時，你會開始辨識出夢中做這些事的人物。奇怪的是，我們內在的保護者也有這種作用，預見實際並不存在的潛在威脅和危險。

我們每個人也都有個內在的智慧女性或男性，一個可以支援勇氣和愛的善良母親或父親。這些人格可能以我們真實、外在父母的形象，以其正面特質獲得我們尊敬的那些長者的形象，來到我們的夢中；也可能是我們全然未知的夢中角色。

我們必須要認識這所有帶領我們進入更高自我覺醒的夢中角色，但是我們也必須學習更能察覺我們對於他們的回應，因為這可以是同樣有所啟發的！這麼做的時候，我們開始發展內在的觀察者，幫助我們找回夢中和醒時關係的平衡與和諧。

你是否開始發現了我們的夢展示了比我們所知道的部分還要多？就是這種擴展的存在感，帶領我們回到自性（Self）。我們一點點地撐開我們的界線，從習以為常的自我為根基的態度上解放自己，讓自我的其他面也能發出聲音。

在這種改變的時候，我們必須溫柔地面對自己。可能遇到不少自我意識的抗拒，不過沒道理和你自己過不去。假如我們可以學會遠離任何不利於我們的夢工程和自我成長的負

面力量、批評和洩氣的回應，將有所助益。經由練習，我們學會發展出一個疏離但是關懷、同情的內在觀察者，一個可以有所洞察的觀察者，成為這趟工作過程的中間力量。

自我支持的其他意見

試著留個空間給任何可能貫穿你的莫名情緒，當你認出夢透露的訊息時。這並不是說，要將你的怒氣發洩在你週遭的人身上，或者在你難過的時候找人安慰。你可以獨自捶打一塊墊子，或者好好哭上一頓。然後花點時間反思，是什麼讓你感覺不舒服？你以前發生過類似的事情嗎？你也有相同的反應嗎？還是你的反應比事件實際的效應還強烈，顯示了過去的某個傷口仍需要治療？接受經驗，並且全部寫在你的日誌裡，它將成為你的知己和密友。

在你坐著進行夢工程時，點起一根蠟燭，這道光線的連結將召喚靈感，創造一種神聖空間的意識，協助你保持自我的專注。邀請一個朋友和你一起與夢工程，隨著你們的互相了解漸增，你們就有對象可以分享，也可以彼此支援。記得協調你的朋友，和他達成與你對自己相同的同情心和靈敏度。這一切都構成了一個象徵容器的建構，裡頭裝的是你的內在過程，而且我保證練習使你更容易上手！

不時給自己一點獎賞──因為你值得。了解你自己及更完整地活著，是需要勇氣和堅持的。向你的勇氣和堅持表達感謝，給自己回饋。（有些人需要提醒，或者需要別人允許才敢放鬆一下。）給自己時間！一天撥出一小時來工作你的夢，並且擺在最前面！

獲得自我覺察的工程可能是相當累人的！當你認為自己做得夠了的時候，就放些清柔的音樂，好好洗個香噴噴的熱

水澡，或去靜靜地散步。不但會讓你放鬆，還能給你消化剛才所學的機會，是夢工程裡的基本面。

記得這個工作是游移於身體、感覺、頭腦和精神之間。在西方社會裡我們過度倚賴大腦，到了可以說是相當專橫的程度！可能有的時候，你想讓大腦暫時在一旁休息，創造出一個情緒、直覺，和靈性的空間。保留時間和空間好讓你的靈性湧入，多花一些寧靜的時刻，待在你鍾愛的平靜場所，在鄉間散個步，看看樹、冥想，或者做做瑜珈。

第一章的回應

現在你終於進展到這裡了，停下來，回想一下你到目前做過的功課。這個功課喚起了什麼樣的情緒、焦慮、恐懼，或快樂？記得這些感受在我們的生命裡都有一席之地，而且它們都會過去。別擔心遇到你所不了解的事情——你才剛起步。現在還來得及正視你的夢中人生，敞開胸襟接受它不時帶來的驚奇！

第2章
夢的風景

　　在我們剛開始接觸夢的工作時，我們常期盼立即捕捉到夢的意涵——藉著綜覽整個夢的圖像。我們的關懷可能觸及夢的某個特定部分，但透過獨立的觀察，我們喪失了對整體脈絡的評價，部分那樣的脈絡是夢的背景或環境。

　　我們的內在造夢者是非常微妙的，每個夢都如完整的一體，而每個環節都是有意義的。沒有事情是隨機的，透過本書，我希望告訴你們，如何認識你夢中素材的意義。當你理解到夢真實和豐富的意涵都排列在前時，你的注意力也較容易集中。接著，不加深究地投入此刻，直到你所屬的經驗確證了你的需要為止。

　　在更戲劇化的事件之前，夢的背景總是被視為理所當然或被忽略，然而，它不但不是無關緊要的，還有大量的內容要向我們透露。當我們走進戲院，布景的設計提供了我們一個符合每個場景的環境。布幕一升起，我們的所見就創造了一種氣氛，因此夢也是如此。

　　舉例來說，下面這個夢的背景就是極度撩人的。

　　「我在一個櫸木林裡，就在日落之前；那巨大的橘色火球，溫暖的餘暉仍然穿透林間。甜美的空氣充斥著地底下的

麝香氣息和鳥鳴。高聳林木的厚毯，朦朧地裹住了我的腳步聲，我並不是真的想到處走動，打擾了這片樹林教堂似的氣氛。」

下面是一種截然不同的灰色氣氛。

「整個夢只有一個場景，發生在某個建屋互助會（譯註：building society，英國的一種互助住屋協助部門。）或銀行裡，我和我先生正在那，不過我們分別坐在一張桌子或櫃檯的對面。一切都很冷靜和正式，幾乎都是灰色的：牆壁、地毯、他的西裝。似乎什麼事都沒發生。」

現在自己嘗試看看。回憶一下你最近的一個夢，只要花片刻工夫，想像它如你置身於觀眾席之一的某場電影或戲劇，從這個位置到夢之間已經隔著一定的距離，你可以開始觀察它。試著專注在背景上，先不要管別的，你看到了什麼？甚至在任何劇情開始之前，什麼樣的背景已經被創造出來了呢？

別讓自己被夢中的其他人或事件、任何你可能有的急躁或瑣碎思緒所分心。這有可能是你內在的審查員或評論員在起作用（更多關於內在審查員的討論請看第三章），只要看你可以單獨從背景中發現什麼；一開始可能很難維持聚焦，但經過練習後就會變得簡單許多。

你或許會發現，思考夢的特定部份，就足以產生各式各樣的連結、旁觸，和感受。花時間去處理這些部分，至少可以讓你去洞察部分夢的訊息。我們將隨著這種觀察和捕捉自身反應的模式，去進行每個練習。

夢的環境可以賦予我們一種空間感，你可能熟悉，也可能不熟悉這個地方；它也帶給我們一種時間感，像是「電影」或「戲劇」的布景年代，也可能將你帶回過去的某個時間

點。這通常導致強烈的情緒連結，顯示出你對於那個時間那個地點所發生一切事物的感受；有個這樣的案例，是由一位年約50歲出頭的男子伊安所講述的夢，他來上過我的某個與夢工作課程。

「我在雨中爬上一個斜坡。我在一條有老式露台房子夾道的街上，房子的前門敞開向人行道。那是個昏暗的冬日清晨，有個5歲大的男孩正站在其中某棟門前的階梯上，等著進入屋內。我邊走過去邊想，他一定是又冷又濕吧，他只穿著短褲和一件短袖汗衫。」

停下來看這個夢的背景時，伊安認出這條印象深刻的街道，就像他孩提時代外婆所住的那條街。他發現這個影像充滿感染力，並且描述了更多夢的背景：

「那條街鋪著大顆卵石，燈光在潮濕的石頭和水窪上閃爍著，那是一個很陡的坡道，對一個幼童來說並不好爬。那條街上空無一人，除了我和那個小男孩。」

從夢的這個階段起，伊安開始關心起夢中的小孩。「屋裡的人們似乎不知道他就在屋外，彷彿將他遺忘了！再怎麼說，這麼小的孩子半夜一個人跑出來要做什麼？」

接著伊安突然省悟：「那個小男孩可能就是我！那就是我被留在外婆家的時候，經常會有的感覺啊。自己總是被排除在外，不知道該何去何從！」

我們可以看見，回到夢的環境之中如何讓伊安回想起在他外婆家的心情。進而讓他憶起母親將他長期寄養在外婆家時，他曾有什麼感受。他外婆常常出於善意讓他在外頭和鄰居的其他小孩玩耍，他覺得被那個家放逐了，然而，還只是個小孩的他，無法輕易釋懷這種感覺。他思念他的母親，也缺乏讓自己打入新朋友之間的社交技巧。

在這個夢中，伊安才剛開始某份新工作，他發現在這個職務上，自己的處境就像一個剛來的外來者般，相對於一個存在已久的群體。這對他來說，是一種不舒服的情境。這個夢讓他有機會了解缺乏安全感的內在小孩情緒，由於那種熟悉的（雖然被遺忘已久了）感受，又再度被激發了。

在深入夢工程裡，他和那個小男孩建立了友誼，他了解他太小了所以摸不到門環。這裡伊安的內在雙親（我們每個人都有！）自然介入，被小男孩的困境喚醒。透過他的想像回到夢中，伊安替自己敲了那扇門，為自己帶路進入屋內，並且向外婆解釋小男孩的感受。

伊安後來說，他覺得這個功課對於他工作的困境幫上了大忙。他曾經有舉止過於孩子氣的難題，覺得別人都對他不友善，動不動就對著他咆哮。這個作用是怎麼發生的？我們在下面再更詳細地看一看。

夢工程的過程

開始觀察背景，我們可以看見伊安的聯想如何使他進入童年的回憶和感受，繼而喚起對小男孩的憐憫與關心。至此伊安和夢已經有種安全穩定的情緒連結，從這點持續下去，他選擇利用一種叫做「啓動想像」（active imagination）的技巧回到夢境之中幫助男孩。

這項技巧幫助我們回到夢境之中，保持在清醒的意識邊緣，以一種良性的方式「夢到回到夢中」。藉著這種取徑方式，伊安開始建立起與內在小孩的關係，提供先前並不存在的幫助。即使像這次的這個小動作，都可以激發出我們的治療力量，來治療內在都會存在的受傷小孩（過去的創傷）。

我們將在第三章和第四章看看這種方式，你也將在本章

後面第三個練習中開始運用到啟動想像的技巧。至於現在，維持著「觀察者」的模式，與你的夢中背景建立連結和想像，這些事對你來說仍不嫌少。

夢的主題

現在所有背景都帶我們回到童年的創傷，就像伊安所做的，雖然很多人都發現夢中的自己一遍又一遍回到小時候的家、國中、高中，或大學。這些再現的背景幫助我們認清正在發生的夢的主題，且在清醒的經驗裡辨識這些相同的主題。儘管並不總是立即明顯可辨認的，每個夢都給我們一扇現在主題的窗戶。假如我們都回到了過去的某個時間或空間，經常是因為我們有什麼尚未解決的事情——就像伊安——使得我們帶著未癒合的傷口，進入睡醒當下的類似情境。

關於困境模式起源的時間和空間，夢的背景甚至可以給我們最強烈的線索。它也帶給我們在這種環境下升起對行為覺察的機會。假如我們選擇自覺地處理我們的情境，在清醒時捕捉到自己潛意識地重複模式的狀態，你將發現，你的夢的主題開始改變，直到你不再需要出現在生命中那樣的地點和時間了。

旅行的背景

有種常見的再現主題就是旅行的夢。假如你發現自己在火車站、汽車、渡輪的終站，或機場裡，夢的背景立刻訴說了某種旅行的形式。背景點出的旅遊方式，經常和你的人生正在進行的旅程本質有關。你可能是「坐火車解壓」的人，或者夢可能透露了，你的生命奔馳在固定的軌道上，總是計畫好何時該下站。

夢的環境提供你辨識正在從事的象徵之旅種類的脈絡，還有就是你在那個背景之上如何作為或感受的動力。要從事這趟旅行的你，準備和調適得有多周全？你可以找到你的月台、護照或票嗎？你有發現自己永遠在打包行李，卻不肯真正踏上旅程嗎？或者，你發現去得太晚，以至於「錯過了那班船」？這樣的夢可能透露了關於你經營人生的何種態度？假如你可以做出突破模式的改變又會如何？你需要什麼樣的幫助，才做得出這樣的改變？

窘迫的背景

　　我們之中哪些人不曾偶爾夢到浴廁的夢？就像那種你拚命想找廁所，可是無論你怎麼找，就是沒有一間是空的那種夢；或者就算有廁所，卻找不到門，讓你覺得幾乎沒有隱私或尊嚴。也許那間廁所其髒無比，其他使用者的排泄物——精確的說是糞便——使得你無法如廁。或者你發現自己全身赤裸，企圖從工作上的同事或你覺得需要取悅的人群之中躲藏起來。

　　這樣的不安全感喚起了很大的焦慮，被拆穿了自信心，以及多年來我們替自己小心翼翼維護的膨風形象。這些夢可能突顯了我們更脆弱、更不善於社交的部分，它們永遠活在世故假象背後的焦慮之中。這裡也會出現我們試圖維持，介於隱私和親密之間的平衡問題。

　　我記得讀過一篇報紙上的文章，提到有個女人是在特種部隊服役，在一個逼真而殘酷的訓練階段裡，她遭到假想的敵軍偵蒐隊「俘虜」及偵訊，現實中敵軍部份成員則是來自另一個小隊。在漫長和駭人的拷問期間，她不斷要求去上廁所。她的偵訊者拒絕好幾次，所以最後，她選擇站著尿在制

服裡作為反抗！會這麼做固然要出於某種勇氣或絕望，但這不僅是一種解決之道。後來她聽說偵訊她的那些男人都對她的反抗行為印象深刻，視之為毅力與倔強的表示。當然她打破了「戰俘」的典型印象。我並非宣揚這種極端的行為，是你清醒時尋常行為的可行替代之道，而是說在夢裡，一切都是可能發生的！

參差的背景

許多夢的背景都反映著我們的社交生活。我們可以發現自己在聚會中，在酒吧或旅館，也可能是和家人或朋友在渡假海灘上。這類熟悉的背景可能看起來就像在醒時一樣，儘管這些地方偶爾有些不同，甚至頗有出入。這些不一致的細節通常是造夢者博取我們注意的詭計。這裡就是一個這樣的夢：

「我和一個老人正在一個很大的批發貨倉裡，我們兩個人都有寫字板，而且都在清點存貨數量。這個倉庫堆滿了商品，感覺就像我們從事這件無聊的工作已經相當久了，而且可能要一輩子做下去。我走到裝載貨區，那是第一層樓通向一個有繩索與滑輪的平台的牆面開口，就像老舊工廠常有的。我看見下方的庭院裡，有一個很大的蹺蹺板在平台下方，我情不自禁的，跳到蹺蹺板的某一端上，然後翻筋斗到另一端，又翻筋斗回來。等我停下來的時候，我看見自己竟然套著一件小丑服！」

這個夢其實替自己說明了，所描述的不是一個情境，而是一種作夢者職場上的情緒知覺。那個蹺蹺板，在工作環境裡顯得不搭調，卻吸引了作夢者的注意力，要他以「扮小丑」的方式逃脫繁重不堪的工作！他在人生的責任感和逸樂需求

之間擺盪不定，當然去發現和掌握他的平衡很重要，不過要以適當的方式。

背景和症狀

有時候夢的環境可以是深具力量內在作用一部分，以至於其經驗本身就被付諸於睡醒時實行，創造出強大的實質效果。有個朋友曾經打電話來，問她是不是可以來看我，因為她覺得身體有些不適，似乎與最近某個夢的連結，正在困擾著她。

她抵達我家門前階時，幾乎是在一種崩潰的狀態。她正在發燒，頭痛，臉和頸都出紅疹，而且頭暈目眩和極度口渴。她和我分享了一個夢，夢裡她被困在一個沙漠裡懸崖邊的狹窄突出部位，且被炎熱的太陽長期照射著。她所循的那條路徑已經淹埋消失了，前方是一個陡降的地勢，而且她處於一種恐慌的狀態，動也不敢動。

她深深陷在這個夢的經驗裡，以至於抽離出來觀察背景，已經不可能辦到了，此外沙漠的環境顯然造成了她的生理症狀。我們不需要重訪這個夢，因為她在醒時從來沒有脫離它！為了幫她減輕恐慌，我讓她知道，此刻我也在那裡陪著她，並且邀請她看看左、右兩邊，而不是死盯著眼前的懸谷不放。她這麼做時，恐慌隨之減輕，她注意到有一條小徑，就像野獸所用的那種小路，可以通往崖下。她跟著這條路走下崖底，遇到了一名沙漠裡的男子，他是某個駱駝商隊的首領。

這個穿著骯髒、破舊的老人帶有一種詭祕的幽默感，看似不是個夢的幫助者。但是他顯然熟悉這片沙漠地形，而且讓她加入了商隊。他帶她到一個有陰影可供歇腳的綠洲，讓

她在繼續上路之前先喝個水、洗個澡。

我從他那得到了提示，讓她自個兒休息。等她幾小時後再醒過來，所有症狀都消失了。她顯得精神飽滿，輕鬆自在，而且全然訝異於自身體驗到的轉變。

許多人在面對人生事件於夢中的象徵圖像時感到驚慌，因此覺得「急切、煩惱」是再自然不過的反應，當我們必須面對再也找不到一條出路的真相時；這條路可以帶我們走出絕境，如今卻彷彿無路可去。在這樣的時刻，我們確實需要來自朋友的幫助，包括內在和外在的朋友。

這種強烈的夢會在我們的生命出現危機時來訪，這時我們必須做出很不愉快的選擇。它們在象徵上表現出一種兩難的處境，沙漠的經驗是沉重的象徵，那些尋求靈性引導或者轉化的人，會到那裡是出於自我的選擇。代罪羔羊會被置於孤立無援的處境，但我們會發現自己不知情地被困在那裡，就像我那位朋友一樣。

沙漠是個充滿敵意、缺乏滋潤的環境，對於不了解它的人來說極度危險。我們在旱漠的高溫下被烤焦，象徵性地，我朋友對於目前生活處境的否定以及默認，也被燒光了。它像是某一種浴火重生的神聖制裁（譯註：古代條頓族判定有罪與否的方法，如將人的手浸入沸水中，若全身而返則無罪。）權威地，更是在一個需要無比尊崇的地景之中，讓人獲得淨身與治療。

這世界的許多沙漠都堆滿了迷途旅人的屍骨。當你在獨自處理某個非比尋常的夢境時，確定要在開始之前，召喚你的幫助者。假如你有任何症狀，除了針對夢和內在進程工作以外，比較明智的做法是先讓醫生檢查一下。

夢的背景元素

　　四大元素——地、水、火、風——都可以將象徵的訊息帶入夢裡。沙漠之火描述了某種非常不同的存在狀態，有別於家中壁爐或歡樂的火堆那種溫暖。關於水的夢可以是強烈渲染的，潺潺流過石頭的小溪，與氾濫暴漲、足以捲走一切的河水是截然不同的境界。水經常象徵了情緒和感覺，因此在夢的畫面裡水的種類就透露了許多。游泳池、水壩，或運河都暗示了人工建築的包圍，像某種我們替自己築起來的，或刻意為我們而創造的事物。森林空地上的平靜池塘，表示一種更自然的蓄水體，就算是亂流或漩渦都是天然的力量，而不是被強加在環境上的。

　　害怕自身感受的人們可能也害怕水，在醒時或睡夢皆然，竭盡所能的逃避水。那些寧願淺嚐情緒表層的人，會發現自己置身在一條船上，也許還帶來一些關於風的元素，來裝滿他們的帆。其他人則可能毫無困難地和海豚在水裡嬉游，探索著湖泊或海底。

　　關於風的夢包含了藉任何形式的飛行器，或者那種美妙的時刻，當我們突然發現自己竟然不需輔助就會飛了。你甚至會經驗到自己就是一隻鳥，隨著氣流上升或俯衝。從飛行所見的視野可以是很美妙的，重點是和地面上的人們與事件的連結就更遙遠了。

　　能夠超越事物之上而獲得不一樣的遼闊觀點，是有其價值的。但我們遲早都必須回到地面，墜落的夢通常就是一種方式。這些夢通常很嚇人，不過，假如你記得這只是個夢，你就不會有任何傷害。你會讓自己墜落嗎？沙諾部落的人卻建議如此！讓你自己在夢裡墜落，著地，且無所恐懼。然後爬起來，拍拍身上的灰塵，看看自己掉到哪裡。有些嘗試這

樣做的人，發現自己可以飛了，還能選擇在哪裡降落。

前面提到那個夢到櫸木林的人，和自然與土地有著良好的連結。但對於某些人來說，土地卻醞釀著恐懼。他們可能會夢到在密林裡走失了，或在地震裡被大地給吞噬，甚至活埋了！太多「土」的元素足以讓一個風向的人興起窒息和幽閉恐懼症的感受。在我們看著土向的夢時，我們也看見腳踏實地，看見與環境以及我們的身體建立安全的連結，前提是知道自己置身於何處；雖然也有些恐懼是來自於血肉之驅、或者「泥足深陷」的狀態。

如果你發現置身於一種令自己不舒服的夢元素裡，只要記得你可以實驗，在夢境裡嘗試新的存在狀態，並且呼叫任何在那個環境下會適應得更好的幫助者。（你將在第三章看見四大元素，如何對應到榮格所討論的四種功能。）

我可以用整本書的案例，來談背景啓動深層而自我滿足的夢工作，但你自己的經驗才是最佳的導師。底下的練習你將依序展開，用它們練習不同的夢，去協助你作夢當下主題所湧現的意識。

利用夢的練習

隨著這本書的進展，你將嘗試許多練習，而重點是從一開始，你就以正確的方式去練習它們。

請注意每個夢都是生命某個面向的強大內在表達，其來訪如同一份賜禮，由你本質上最重要的成熟源頭所創造源出的。給予夢所應得的尊崇，永遠留給自己一段不受打擾的時間來做練習。將電話的音量關小，定出可實行的時間界線，讓自己完全投入這個工作。

在你剛開始嘗試一個新練習的時候，不要選擇夢魘或惡

夢來工作。總是要善待自己，先從感覺較不具威脅性之處開始工作，再挑戰自己去看較駭人的夢。記得你的內在有塊害怕的部分，因此催促這部分的你，在你還不知道某個練習可能有什麼後果之前，就投入可怕的工作是很殘忍的。有此說法是，即使表面無害的夢；即使我們做的是前面的練習，也足以有懾人的強大效應。一切都更需要小心……

在以你觀察員角色獲得某些觀點以前，千萬別急著重訪同一個夢。也先讓自己任意聯想，如同伊安所做的。這麼做會讓你在開始進入更深層的夢工作及超意識狀態之前，獲得必要的方向感。本章所提的某些實例是更進階的工作，在這個時間點上，請先不要回到夢的背景裡，企圖改變任何情節。本章練習的目標是更充分的背景體驗，就這樣而已。

你也將學習訓練有素的保持焦距，並且發展成一個精明的觀察者；對現在而言已經綽綽有餘。如果事情自然發展，那很好，但是不要為了練習，或者因為這麼做在當時看起來很有效果，而竄改你的夢！放鬆，保持開放，然後再看看會發生什麼。

以夢為中心的聯想

在轉變夢的工作途徑裡，我們談到聯想時，我們並非指佛洛伊德的「自由聯想」精神分析傳統，就是由一個聯想跳到另一個聯想，另一個又跳到另一個，再跳到其他的聯想。假如我們這麼做，我們的路徑可能會離夢愈來愈遠。

以伊安的夢為例，可能他起初的聯想是外婆的家，接著便聯想起一連串的童年記憶，這些都非常有意思，但是它們和夢的關聯又是什麼？我們在察覺自己這麼做時，不妨停下來自問：「這個聯想和我夢中真正發生的有關係嗎？」並且

回到夢中，重新和你的焦點連結起來。在這個夢，焦點是在伊安的夢的背景，那條舖著卵石的暗夜街道。在夢裡，他的外婆看不見人影，是因為小男孩是孤零零的，又冷又濕的，而且感覺被放逐了；而這個夢正是讓伊安接觸他現在的處境和感受。假如他和外婆走到街角的商店這段路是有意義的，那麼你可以確信的是，外婆和商店就會出現在夢裡！

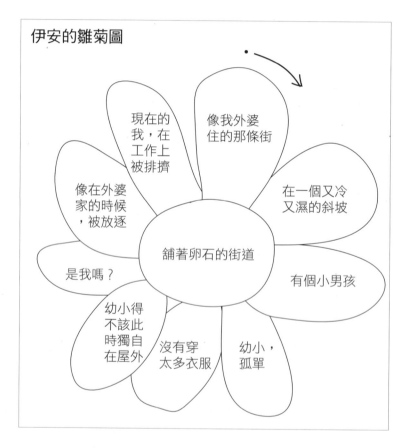

利用上方這個雛菊圖，你可以看到在夢的工作裡，我們如何依據中央的焦點連結到每個聯想。我們繼續回到夢中，

我們在此定錨，並聚焦。在你做過這個練習的第二部分後，你會想要在夢的日誌裡繼續寫下你附加的回憶，以及其他連結。我們並不打算否認，而且無庸置疑的，那些也可以賦予我們更寬廣的圖像。它們甚至可以引發某些彌足珍貴而富創意的書寫，但是，雛菊圖的構造提示我們練習的用意，是揭發夢的特殊意涵。

我用伊安的雛菊圖為範例，在下面的練習你可以創造自己的圖。

練習四：觀察你夢的背景

在這個練習裡我們會請出內在的觀察者，如本章前面所做的那樣將夢視為電影或戲劇的表演。這麼做的用意是先暫時讓你和情緒的介入分開，好讓你能從觀眾的位置獲得更超然、更寬廣的觀點。在某些夢中背景改變許多次，為了展開工作，就停留在開放場景的背景裡。

第一部分

＊從日誌上選擇一個夢，重讀一遍以恢復你的記憶。接著讓你的注意力集中在夢的開場時，花點工夫聚焦在背景上。

＊現在問自己：夢剛開始時你在哪裡？你在室內還是室外？這裡是你熟悉的，或陌生的地方？假如是熟悉的，這裡的擺設和你醒時一樣嗎？或者你認出這些背景和過去的夢相同？還是它可能是兩者的混合體？

＊假如你發現自己在陌生的環境裡，好好觀察一下周遭，去感受一下這個地方。等你準備好了，便問自己：這樣一個場合有什麼目的？什麼活動或事件可能

在這裡發生？你知道這是一天的什麼時刻，或者一年的什麼季節嗎？這個背景創造了何種氣氛？

＊花一兩分鐘思考一下，這個背景可能和你有什麼連結，你又有什麼感受？然後，等你準備好了，就進行到練習的第二部分。記得停留在夢的背景裡，不要捲入自由想像的連結裡。

第二部分

＊將你的夢日誌翻到新的一頁。在該頁中央用一、兩句話寫下夢的背景，並且用一個圓將它圈起來。這就是雛菊圖的花心，你的聯想就是花瓣。問自己：這個夢一開始時，你發現自己正在哪裡？這個地方對你有何意義？寫下你的答案，並且在周圍畫出代表花瓣的輪廓，將它們和花心連在一起。

＊這個背景和你現實生活的背景有何相關性？用另一個花瓣記下這個答案。這個地方感覺又如何？再用花瓣寫下答案。繼續沿著花心轉動，問你自己和這個背景有關的問題，就當作是在夢中，而不是醒時，並且用花瓣將你的答案圈起來。你將順利完成一個雛菊模樣的花形。

第一部分和第二部分的回應

你覺得這個練習容易或困難的程度為何？花一點時間去看你提的問題種類，你能夠把握住焦點嗎？你將你的發現都寫在日誌裡了嗎？有任何事情在妨礙你嗎？

有時候，當我們覺得一項練習受阻時，最好是將焦點轉移到阻力本身，而不是去努力對抗它。讓「我的阻力」或

「我的障礙」放在雛菊的中心，允許聯想和感覺出現。那麼，你就會發現是什麼正在發生，你就會可以自己能夠回到練習上——或者不能回到練習上！

　　背景模糊的夢，無法透過這個練習而表達。偶爾會有那種，似乎完全沒有背景的夢，只有情節和交替發生的銜接。假如你最近一個夢是這樣的，那就不要用它來做這個練習，假如你選擇一個不適合的夢，你可能會嚐到挫敗，而感覺沒用。我常建議用最近的夢，但，假如這個夢顯然不適合，就換其他的。何不試著隨意翻開你的夢日誌，找你看到的夢來練習？

　　某些答案可能會讓你嚇一跳，它們可以讓你和許久未見的地方、人們或情緒產生連結。別因為這樣而裹足不前：和夢工作的本質就是驚奇與偶然的撞擊，引發出更高的自覺意識。你不需要一次就了解每件事情！

　　記得花些時間來善後，這也能讓你在更進一步之前好好挖掘、發現更多事情。在稍做休息之後，接下來，你就可以做這個練習的最後部分了。

第三部分

　　在練習的最後部份，我們將要重訪夢中，單純地欣賞背景。我們將盡可能充分地再度體驗它，利用我們所有的感官，而不採取任何動作或改變任何事。

　　這個工作是充滿矛盾的，當我們放掉我們對意義的追尋，讓自我臣服於一個完整地夢的經驗，突然之間意義出現了。此刻接踵而來的，將使你進入一種超常意識狀態（altered state of consciousness）——藉著讓你在完全醒著的時候回到夢中，以豐富你關於背景的經驗。

在夢工程的這個階段，我們必須能夠創造出一個良好、知覺的容器來練習。設定10分鐘的長度讓你保持留在夢裡，你將會遭遇你的潛意識，這會是個深深誘人的領域，這裡的時刻標記很不相同，許多事都是發生於極短暫的瞬間。我們的目標是維持在臨界的超常意識，同時保持在夢的想像之內。用操作的比較容易！

* 開始時先在心裡默記著本練習的第一部分與第二部分：你從夢背景的觀察和聯想所得知的一切。

* 靜坐一會兒，讓所有能量安頓下來。察覺到你的呼吸，別試著去改變它，只要順著你呼吸的平和節奏即可，感覺到氣息緩緩地進出你的身體，觀察是否你的能量可以順著吸入的每一口氣，從你的頭部移到你的下腹。這將有助於穩定你的心靈，創造出易於接收的內在空間。

* 回憶你的夢中背景，現在，透過你在夢裡的眼睛看著它，因此你再度成為夢裡的一部分。這次好好觀察四周——確實看見你所置身的這個空間。給自己一些時間去盡量融入它，也注意任何聲音或味道。感覺你腳下的土地，或者無論是你發現自己所躺臥或所坐之處的堅硬或質地。感受一下遍體的氣流特性，溫度，和氣候。你感覺到周圍有足夠的個人空間嗎？是清澈或嘈雜的？這個地方和你喜歡的模式有共鳴嗎？或者你覺得不舒服呢？去察覺這個地方的氣氛，以及這些在你身上的影響力。

* 當你準備好了，再次去察覺你的呼吸，感覺身體緩慢的節奏，讓你以和進入一樣的方式退出這個練習。回

復到身體的生理感官，張開你的眼睛，看一看周圍，
觀察房間的細微處，幫助自己回到完全的知覺裡。

＊盡可能充分而流暢的，在夢的日誌裡寫下這次體驗，
以及你可能擁有所有關於它的想法和感受。

第三部分的回應

你能夠回到夢裡，並且感覺完全存在那裡嗎？有些人可以輕易做到這點，其他人則必須持續不懈，如此練習許多個夢，直到他們真正習慣這項技巧為止。你可以維持在時間範圍內嗎？這是個隨著你的工作變多而出現的重要規範，我們必須建立某種介於把持自我的意圖感，和臣服於夢境呈現之間的平衡。我不希望你被潛意識面的「另一個世界」牽著你的中心走，只要體會一下，然後完全回到自我。

你不需要害怕接觸到輕微的超常意識狀態，只要對清醒世界維持警覺即可。準備吃的或喝的東西，像一杯熱飲或一些水果，會是個結束這段工作的好方法；而它將幫助你回到當下，在你回歸到日常作息的（表）意識活動之前，帶給你安靜的過渡時刻去回顧你所學到的一切。提醒自己你可以再用同樣的方式，去工作其他夢的環境，這將使你經驗的多樣性，通過這些「夢工程」的練習而深化及變化。

第3章
誰是夢中之
我

　　你可能乍聽頗爲驚訝，在被要求到觀察夢中之我時。絕大多數人會以爲，「就算是在夢裡，我還是我；難道，我不是我自己嗎？」真相並非總是那麼單純。首先我們必須去看，我們所指的「我」（self）爲何。在心理學的術語裡，「我」通常是指自我意識（the ego）。這個自我知覺的核心是我們的決策者，裁斷我們如何行動，建立我們的自我形象和自尊心，決定了我們容許別人看見以及了解多深的自我。它知覺到我們的期望和恐懼，我們給自己設定的目標，也會極力導向其所維護的觀點。於是，我們相信這個自我意識認知，就是所有的自我，而錯將「自我意識」誤解成眞正的「我」了。

　　然而，我們晚上睡著以後，這個自我意識怎麼了呢？它隨著我們失去的表意識而消失了。沒有了它，我們內在的某些部分卻繼續存在著，待隔天早上意識之我再度甦醒。在你停下來思考它的時候，這些想法讓人很混亂；它指出，我們不只是自我意識而已。義大利心理學家羅貝托·阿沙鳩里便這樣認爲，於是發展出下頁這張自我構造圖，意欲說明他對於人類存在的心理組成觀點。

　　雖然這張圖是平面的，它卻顯示了三種思維的空間，而

且充滿了變動。表層意識的圓形領域，表示了我們日復一日的意識狀態。最中央的黑點就是上面所說的自我意識，同時整個橢圓形代表了我們潛在的、大多尚未了解的部分。這個圖解提醒我們，比起我們的所理解的，我們生命裡還有這麼多可以發揮；假如我們可以不囿於自我意識的格局所體驗的生命。

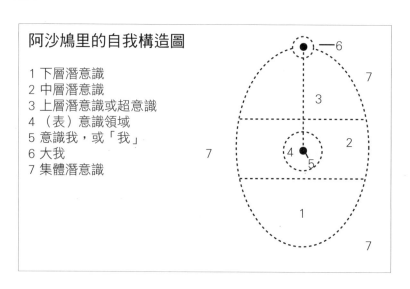

阿沙鳩里的自我構造圖

1 下層潛意識
2 中層潛意識
3 上層潛意識或超意識
4 （表）意識領域
5 意識我，或「我」
6 大我
7 集體潛意識

　　緊鄰包圍著表意識圈的中層潛意識橫帶，就是我們各式各樣經驗所吸收之處。我們曾經了解和學習的，都在這裡：這也是形塑和發展我們經驗的心智和想像活動的領域。它也可以稱為孕思的空間，促進了經驗到知覺之前的轉化。儲存於此的資訊是我們很容易利用的，也可以穿透並影響到包圍表意識的虛線之內。你會注意到這個圖的所有線都是不連貫的，這種滲透性說明了資訊游移於此端與彼端的能力以及擴張的能力。

　　上層潛意識關係到上升和通往覺醒之光，承認與洞見一

切的神聖讚嘆時刻，就像某道燦爛的陽光突然穿透密雲遮蔽的天空之時。其能量是靈性的、啓發的，和直覺的，通常被發現於創造力、哲學，和科學的領域。它是屬於高層覺知、利他博愛、道德倫理，以及狂喜的空間。它匯聚於頂點代表超我的星體上，那也是眞實的自我意識，與個人對所信仰之神體驗的中介點。（在指「大我」時，「我」的開頭用大寫的字母，以茲區隔自我意識認知到的我。）就是這個眞實的「我」，超越了自我意識，終我一生都維持一恆常的存有。有些人有能力經由祈禱、靜坐或冥想等靈修活動自發接觸到這個位置。有時候，我們會發現自己非自發地提升到大我，在富創造性的啓發和超越的片刻。

上層潛意識可以是個緊急逃避肉體遭遇的避風港；像病痛，性或肉體上、或情緒上的施暴；或者在意外或攻擊之類災禍的時候。一但危險或病痛過去，我們經常就回到身體裡頭。然而，長時間的虐待或長期的病痛，在生理上和情緒上有著毀滅性的影響力，足以造成某些希望繼續「躲在庇護」裡。於是這樣的人可能表現得很「高級」、屬靈、平靜而明智。但他們和身體的連結卻很薄弱，缺乏活力，還有導致身體易受傷而虛弱，引來更多的病痛。像這樣無法和現實連結，也更可能導致損失、發生意外、心神不寧，甚至明顯地厭食。身爲人類，我們必須完全居住在肉身裡，並且發展出靈和物質的健康連結。

另一種更刻意的排斥身體，發生在某些有靈性奉獻的地區，諸如中世紀隱修派（mystic）的修女和僧侶，要求壓抑肉體與自我以通往靈性。

阿沙鳩里描述下層潛意識爲指引肉體生命心理活動的容器：包含了基本的需要和原始的衝動，許多負載著強烈情緒

的情意結，以及恐懼、迷戀、強迫衝動，還有偏執的妄想。我則將此理解爲一個蔭庇的、遺忘的和未知事物的空間。我們在這裡又見到下降的主題，那個原型陰性、黑暗、常爲憂傷和痛苦的旅程。這是個嚇人的地方，但如果我們企圖與它分割開來，那麼遲早病痛、意外、損失，或絕望的事物也會將我們拉下去的。憂鬱也會將我們禁錮在這裡。可是我們必須入虎穴，因爲這裡是我們可以接受偉大治療和古代智慧的場域。這條旅途也帶我們找到我們的神，經由某種緩慢的、非常不同，但同樣高貴的路線，「黑夜大海之旅」（night sea journey）。這是造就靈魂的工作，而且我確信假如阿沙鳩里是今日畫出這張圖的，他必然同意這段旅途和價值，並且也會在這裡標出一顆星體。

我們都強烈受到圍繞著橢圓形外的集體潛意識的影響，這裡是「非我」的所有。它涵蓋了我們從最密切的社會到地球全體子民的文化遺產。我們的祖先從太初開始累積下來的知識，便歸屬於此。榮格形容集體潛意識，就像個「兩百萬歲的老頭」活在我們身上（榮格演講詞）。這裡是原型的家，我們將在第六章裡再來探討它們。

阿沙鳩里自我構造圖的外輪廓並未將我們從集體潛意識裡區隔出來，可是設定了自我的邊界。我們時常處理來自集體潛意識的資訊，而我們的思想和行動也常向外投射，造成影響，構成了個人的貢獻。

多年前我有個夢是以某種方式來闡釋這點的：「我想我是在南非某處的某間旅館陽台上，天氣暖和，陽光普照，而我正眺望著一片紅色沙丘的風景——延綿了好幾公里的沙丘。我驚訝它們不斷因爲風的動向而改變形貌，那是自從這個行星創造以降便持續的作用。」

　「突然間我發現自己跪在沙丘之中。我蹲靠近沙上，並且輕輕拍著。有趣的是，沙子形成一道細小的波紋，讓我個體的影響融入整體型態之中。這樣的景象不僅賦予我一種溫暖的感受，也為當下的自己帶來改變的力量；我體會到所有事物都有其存在的價值，也充分接受它又將被風湮滅的事實。」

　　我們的夢頻繁地汲取日常生活的素材到集體潛意識裡。有時候我們會說：「我知道我為什麼夢到那樣！那是因為我昨晚看過電視節目。」如此也很有可能，但它只是個出發點。那個節目的內容可能連繫著其他的意義層次，當然節目和你的夢的連結，還有它和你生活的關聯性皆如此。

　　當我們透過媒體，見證發生在世界某個遙遠角落或靠近你家的恐怖災禍，我們的夢也會暫時受到干擾，因為我們無意識地連結到集體傳送的哀傷波動。這些事件不只是和類似

的個體經驗共鳴，也會深深嵌入種族的記憶與人類的感情裡。多年前，始料未及的大量群眾為黛安娜王妃（Diana, Princess of Wales）意外之死哀痛逾恆，引證了這種運作的動力。

透過這層和集體潛意識的心理互動，我們發現，我們和其他人類並非孤單、彼此隔絕，儘管我們有時候會覺得如此。全世界的神話故事幾乎大同小異，徵召了儲存於集體潛意識的經驗，誠然如此。作家、畫家或作曲家可能創作某個作品，然後說是看起來似曾相識，可是卻無法確切記得，自己從前曾經讀過、見過，甚至聽過某個類似作品。有時候因為如此，取自集體潛意識的素材反而導致剽竊創意的指控。

你曾經發生過你正在哼某一段旋律，當時在你旁邊的人卻說：「我正好想到這首歌耶，整個早上我腦袋裡都是這首歌。」的情形嗎？自我和集體的分界是多麼的易於穿透！

阿沙鳩里的圖意在解釋更多我們的整體。心靈，或靈魂，可以輕鬆而優雅地在這張圖的任何區域之間游動，透過夢境告訴我們新的發現，並且指出我們必須加以意識的盲點。當這些資訊來到我們睡醒的表意識層時，我們必須謹慎，別讓自我防禦意識（defensive ego）將它稀釋或曲解。

夢工程的阻力

自我防禦意識

我們都有某種內在的審查員，不只抹滅我們的夢，更影響許多生活的領域。對我們當中某些人來說，自我防禦意識是具有對行為或準則有固定觀念的自我。換句話說，一個健全的自我應是一個好的決策者，隨時都在決定何者適當或不

適當的，了解何時該冒點風險，何時又該說不。

這些選擇是根據堆積多年的經驗層面，以及先前的成功或錯誤的教訓學習。雖然有時候，自我擁有的視野可能太過狹隘，因此限制了無論是個人或社會都難以接受的偏激選項，與其所能達到的潛在生命經驗。

在小時候遭遇過否定、嚴苛的評論或批判的個人，將不被鼓勵去信任自己的判斷，和發展出一個健全的自我。非常嚴格的父母，受制於自身的狹隘侷限，可能會將他們的憂慮和壓抑傳給他們的小孩，長大後小孩便將這些視爲自我原有的一部份。這種類型的自我並未對新的經驗開放，也不喜歡接受挑戰，而是傾向保護自我。

對於如今想要前進和成長的你來說，你需要多花一點時間去說服防禦的自我，它對夢的工作可能有負面的看法，而且可能抵銷你的努力，讓你質疑是否自己做出明智的選擇，或者自己有能力處理夢的工作，就算它最後願意讓你回憶你的夢。即使一個健康的自我，也可能覺得像「尊敬夢的觀念」，「聆聽它所說的」，還有「在睡醒時接受它的引導」，這些說法足以威脅其自己的自主性，或說篡奪自己的地位，並且威脅自己的安全感。

防禦者和審查員

假如童年的傷口傷得很深，而且我們經常沒有獲得所需的援助，我們將學會獨自舔傷。我們從疼痛中退縮，那些曾經我們覺得難以承受的疼痛，並且用所有可能的方式去防衛自己，好讓我們永遠不必再經歷那種傷痛。我們之中有些人學會非常成功地逃避痛苦，讓自己遠離攻擊、批判、恐懼和羞辱的傷害。我們無意識地建立一個爲自我服務的防禦者角

色，它總是密切守護著，總是在那裡保護我們。這個防禦者可能很久才願意信任，對新的人們、處境和想法防禦者都抱持深深懷疑。存在於潛意識裡的防禦者，有如次人格，實際上就是在我們的清醒意識底下的人格面向。我們可能不了解它在我們日常生活裡所參與的角色，或根本不曉得它的存在。對防禦者而言夢的工作仍屬未知的領域，我們許多人都害怕著未知。誰知道我們的夢可能帶來什麼？而防禦者的責任就是阻止這些未經驗證或測試的思想接近腦海，感受它們為潛在的威脅，因而無法看見它們真實代表的轉機。它在你的童年期間可能保護得很周到，但是並未認清你已長大成人，已經較不那麼脆弱，而且足以作出思慮更充分的決策。

審查員傾向於取材自外在生活的人物、角色或模範。夢中表現得符合法律或道德規範的人物，通常代表了我們自身的審查員。在我們的工作坊或課程上，我們常常遇到這類的夢中角色，例如：警察、指揮官、主管、盛氣凌人的上司、持反對意見的雙親，批評者或仲裁者等。

對照之下，防禦者鎮守駐地於更深層的潛意識裡，並且幾乎可以採取任何型態，設下抗拒改變的頑強結界。或許是隻兇猛的野獸、騎士或武者、某扇深鎖的門、某道磚牆、有刺的鐵圍籬、不懷好意的軍隊，或者某塊巨冰，以上都是常見的象徵型態，因為這些意象通常令我們聞風色變。審查員和防禦者這兩種機制都是自發的作用。

審查員可能將我們降級為沒有能力的小孩，無法信任我們自己的本能和自己的選擇。另一方面，防禦者常會帶來不經思索的反應，不是試圖讓我們遠離任何面臨威脅的處境，就是無情地鎮壓反對意見。有時候防禦者反而會選擇隱藏在幕後，並且投射出它所護衛的某個意象；可能是從一個受驚

孩童、負傷動物、病人到某個脆弱的花瓶或器皿、我們的家庭，甚至城堡等各種形象。

練習五：面對阻力

＊假如你發現，你不記得自己的夢，那請暫停片刻，閉上你的雙眼，然後試著放掉我們前面提過的所有例子。邀請那個阻止你去接觸夢中世界的角色或障礙，你可能立刻就接收到一個畫面或想法，或者你可能需要花點工夫，讓自己不要排斥或拒絕任何出現的形象（那可能又是審查員的作用）。

＊停留在那個形象裡，接納它，並且思考你對這個影像的感受如何：是某種羞恥或抗拒的感覺？或者有點驕傲的說：「我什麼都沒做錯！」你可以感受到跳躍的認知嗎？這個意象對你而言有任何意義，也存在於你的生命背景裡嗎？

＊在你的日誌裡將這些全部寫下來，包含任何你所作的連結和隨想。

起碼你現在知道對手是誰了！不需要在此刻有任何進一步的動作，只要察覺到你這個面向的活動，就足以替夢中的關係帶來自發性的轉變。這個識別對象的練習能幫助形成分離和同情，並且可以強化自我防禦意識的觀察者角色。從這個位置上，我們就可以有更多包容性，更願意去考量另一種觀點，且和夢的結局更為分離。

內在的編輯

你可能注意到防禦的意識會編輯你所紀錄的夢，並使之重組順序以產生意義，且省略或改編任何被認為不快的情

節。防禦的意識也會對你的夢作出評斷，通常拍板定案的都是短暫而看似乏味，根本不值得紀錄的版本！

截至目前的工作裡，大部分是由自我意識來選擇那些要寫或工作的夢。從現在開始，無論內容為何，都用你接下來要記憶的夢來工作。試著用某個你所遺漏的夢重複前面的練習，你將發現這些夢，只要一些關注都可產生重要的回饋。

練習六：發現你的夢中之我

在你開始之前，記得夢工程是沒有對或錯的。假如你對夢中的自己很滿意，那很好，假如不滿意，你的夢將協助你探索其他的存在方式。

夢中的我（dream self）和醒時的我（waking self）

* 重讀你最近的一個夢以再度取得連結，開始練習。
* 想想這個夢如何觸動你，它帶給你何種感受？快速瀏覽夢的背景、事件或人物，它們可以和醒時的生活有任何連結嗎？
* 停留在上一章將你的夢視為電影或戲劇的想法裡，再度想像自己置身於觀眾間，觀看整個表演。這次，特別注意夢中的「你」，你的夢中之我。我們與自己認為的夢中角色並不相當吻合，由於醒時自我意識的這種預期，使我們傾向於不太關注在自己身上。現在，試著真正聚焦在這個夢中之我。

連結你的夢中之我

* 你可以保持在觀眾的位置上，同時看見自己在夢中的角色嗎？還是你更為融入夢中的「你」，從不同的身分

去體驗這個夢？也許你從頭到尾都沒有夢中自我的強烈感覺？可能是你沒有感覺到夢中的存在或體現，而是發現自己正觀察著夢裡所發生的一切。

你的出現

＊聚焦在你的夢中之我，觀察你的穿著。你所穿的服裝適合夢中的背景和活動嗎？底下這個夢來自於某位叫做安的婦女，她的丈夫已經決定從他們在市鎮的公寓搬到鄉間的農舍。

「我走過一片犁過的田，當時正在下雨，傾盆大雨，滿地都是泥濘。我很冷而且溼透了，討厭死了。這陣雨毀了我最喜歡的都市時髦套裝，讓我的高跟鞋深陷在泥地裡。我感覺悲慘到了極點，只想要回家。」

這個穿著不一致的明顯例子，顯示了安對於這次搬家的不滿，那是她的先生所引發的。因為先生如此一頭熱，所以她勉強同意了，她的認知卻是，自己在情緒上幾乎缺乏接受這個生活改變的準備。

安發現，倘若自己試圖保留昔日「城市佬」的形象，將會一直悲慘下去，她認清了態度的改變是必須的，而不僅是穿著的改變！她去外頭買了一件擋風遮雨的外套和長筒靴，但也參與了當地的社區，在這裡跟久居於此的人們學習傳統的鄉間風俗。安發現自己不但學到很多，而且充滿樂趣。她現在很愛鄉下的生活，但仍然保持和市區的聯繫，所以她的那一面也獲得充實了。

你的穿著

回到你自己的夢，你穿的是你平時的衣服嗎？它們是否

讓你想起生命中更早的某個時期呢？假如你沒辦法看清楚你的衣服，就看一看你的雙腳。當夢工程工作坊成員這麼做的時候，他們偶爾會發現自己正穿著學生的鞋子，或者兒童的涼鞋！發現夢中的自己原來不是自己所以為的大人，會讓人很震驚，但這可能解釋了為什麼你無法如你預期的處理問題，或者努力釐清事件。對我們大多數人來說，有時候我們還沒有意識到被自己的內在小孩接管了。像這種時候，我們會表現出孩子氣或幼稚的、不合時宜的行為模式。假如這發生在你的夢中，那也可能發生在你清醒的時候，而你的造夢者正希望你意識到這一點。

在夢中變得更年輕

不同年紀的夢帶領我們回到過去，但並非都是童年，也可能是我們生命中的任何階段。它顯示了那個階段「有事未了」，繼續影響著我們。必須小心不去責備那個焦慮的小孩、或叛逆少年取代我們的自我。這個內在小孩並沒有要這麼做，只是被目前引發過去未解情緒的處境或關係給喚醒了。內心試著對夢中出現的任何對象，把握住「認識，接納，並且以友相待」的良善動機，即使一開始讓你覺得尷尬或憤怒。

　　＊假如你發現自己在工作的夢中變得更年輕了，花點時間反省你當時的生活如何？你如何得知自己在夢中是哪個年齡？你發生了何事？你如何反應？你感覺自己有多少選擇？和你現在清醒時的生活，重複著某些相似的模式嗎？現在的你還有更佳的選擇與助力嗎？

在夢中一絲不掛

很多人三不五時就會夢到沒穿衣服。假如感覺合宜，比

如激情或肉慾的夢，你得以享受更充分的感官體驗；那倒無妨。但如果你是在某個公共場合，而且覺得自己的裸體很尷尬或丟臉，那這個夢要說什麼？它要表達你在某方面的脆弱嗎？當我們在另一人面前一絲不掛時，所有偽裝都被剝奪了，也可能引發了自尊的議題。

＊觀察一下夢中的脈絡。你發現自己是在哪裡出糗的？假如夢的背景是工作場合，這個夢透露了你在工作上有些不適宜的感受嗎？許多身居要職的人們都有這種念頭，「假如他們知道我真正的模樣，我就有包袱了。」他們日復一日過著等待被識破的生活。假如你是在某個旅館、頒獎典禮、俱樂部或私人聚會，這些社交場合會讓你有不安全感嗎？

＊觀察一下你在這種夢裡如何應對。身邊有任何人可以支援你嗎？你醒時的生活又有多少支援？記得只要你有需要，就可以召喚夢的幫助者。

你在夢中的行為

我們的夢不一定都要回到比較早的生命階段去展示某些自我面向。「夢中的我」可以看起來就像你自己一樣，只是行為有所不同。例如在某個夢的背景下，醒來時很害羞的人，在夢裡可能俏皮得令人大吃一驚，有些永遠大公無私的人可能變得全然不可理喻。一個誠懇、正直的傢伙可能藐視規定或違反法律，完全失去了理智。

這些夢的目的是為了重新恢復平衡，它們向我們顯示了我們正處於固著的態度和習性的危機，藉著突顯與我們平常行為迥然對立的那面，當頭棒喝乃至喚醒我們內在批評者的力量。這很可能是我們人格的部分表象，也許是天生即擁有

的（儘管遭到壓抑的）某種有關傾向。每個人都有一個黑暗的陰影面，是清醒時的自我所欲否認的部份。我們都有開朗樂觀、無憂無慮的那一面，而善於批判的自我意識可能斥之為無價值，導致我們成為過分嚴肅或過分沉重的工作取向——或者正好相反！再者，反省一下自己是否能有這份智慧和慈悲心，來包容這些較不討人喜歡的自己。你不需要是完美的——沒有人是！

> ＊現在我們來看看你在夢中的行為。你有一種鮮明的角色或卑微的一面嗎？在這個角色身上，你是主動的、涉入的，並且意識於所發生的一切嗎？還是你只是個觀察者，沒有真正參與其中？是你調出這些鏡頭，或者另外有人必需對此負責？你對自己的角色和自己介入的程度，感受如何呢？

> ＊在日誌裡寫下你的心得，然後比較這個夢中之你，和你醒時的行為。你喜歡哪一個？夢中之你和醒時的你的相似之處或相異之處較多？你曾有過像這個夢中之你所表現的行為嗎？假如是，是在何種場合下？你可以將這個夢中的任何行為，應用在日常生活裡嗎？

四大元素

仔細檢視你從這個練習裡獲得的覺察。現在讓我們來看榮格對於四大功能、或行為類型的敘述。榮格認為，我們都可以簡易區分出特定的行為種類，或更精確地說，是接收與表達經驗的模式。他辨識出四種最主要的類型（請見76頁圖），這四種類型中只有一種會是你最傾向、或最優越的功能。絕大多數人還伴隨著也相當擅長的次要功能，就是與我們主要功能相鄰的其中一個功能。至於我們會面對最多問題

的，都是主要功能對面我們最弱或是補償地功能（inferior function）。

　　舉例來說，主要為「思考」型的人們，對於用語彙表達自我相當有自信。他們傾向非常擅長以大腦思維接收新資訊，這種人會具有「直覺」的思索能力，或者依賴「感官」的功能，而對探索生命的方式極有組織。他們最弱的功能，也是最難以應付的，就是位在座標的另一端，涉及情緒的「感覺」功能。任何腦袋太過客觀的人，在人際關係上都會缺乏同情心的調劑，善思者特別容易在不合宜的關係裡亂了陣腳，因為，只要他們的感情一介入，理智就被拋到腦後了！

　　當你可以辨認出自己擅長的功能時，你或許將發現，你對於示意圖上它的左右兩邊都同樣容易表現。舉例來說，一個直覺型的人，也可以是很多愁善感的人，或者擁有善於思考的天賦，正如某些科學家，還有許多藝術家皆如此；但是他們的手腳可能相當笨拙，或者沒什麼方向感，總是忘了東西該擺哪裡，因為他們的感官功能不發達。最典型的例子就是找了半天眼鏡、卻忘了就在戴在自己鼻樑上的糊塗教授！

　　每個功能也都有自己的速度。與火向元素有關的直覺型是最快的，我們可以理解其觀念如炫目的火光。接下來是思考型，連結到風向，我們稱之為「智囊」型的那些傢伙，無論在思想、行動，和表達上都相當迅速。水向元素掌管的感受型則是下一個，因此表露感情的過程總是需要一點時間。對榮格來說，真正的感覺功能是一種價值判斷的作用，涉及我們經驗的相對價值；情緒就是這種價值判斷過程的附帶產物。最後，屬於土向的感官功能是最慢的，這類型的人很務實、腳踏實地、能幹、可靠，而且對於任何新事物絕對是鐵証為憑。對於一個感官型的人來說，只有親眼見到才算數！

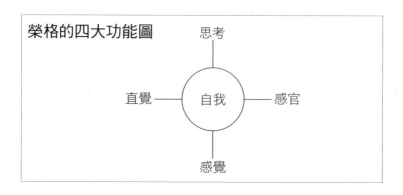

榮格的四大功能圖

思考

直覺 —— 自我 —— 感官

感覺

　　這四者中有任何一個說中你的心坎，無論是在醒時或夢中的人生嗎？哪一個才是你最強的功能？哪一個則是你最不擅長的；無論是對自己或別人？以下這個練習可以幫助你更清楚自己。

練習七：為你的功能上色

＊隨意打開夢的日誌。利用翻到那頁的夢，用一隻彩色墨水筆或鉛筆，標示出夢中的所有感覺或情緒。舉例來說，你可能寫過你很擔心、焦慮，或想哭。又或者是些激動、愛、溫柔和歡笑？確定看過所有的情節。

＊完成後，這一頁有多少地方是上色的？再讀一遍關於這個夢的部份，你現在會覺得自己的體驗比之前讀起來更感動嗎？

＊現在把這個夢重寫一次，這次寫下所有想到的細節。比如說你本來寫的是沮喪，試著更詳細說明你沮喪時是什麼感覺。然後再用色筆標示這篇新的、更詳細的版本，然後比較這兩者。這不是很有趣嗎？為什麼我

們不需要解釋，就把自己的感受視為理所當然呢？看看你這樣子改寫的夢變得有多豐富！假如你的夢的兩種版本幾乎一模一樣，那可能代表你的感覺功能並不擅長。

在任何情形下，你都可以再做一次這個練習。利用你對夢中的自己，或夢中背景的描述，選擇一個完全不同的顏色去標出你的發現，那將是你的感官功能所驅使的經驗。然後如法泡製一遍，去觀察你的想法和思維狀態。（你可以每次都用同一個夢，或者用不同的夢。）綜合觀之，這三者可能給你一些線索，如感覺、感官、思考功能之間，你最擅長哪個功能，而哪個功能還可以再發展。用更多夢來做這個練習，或者每次都有意識去紀錄夢，這樣就能逐漸讓你的功能圖更清楚。

因為直覺的功能如此瞬息易變、難以捕捉，所以嘗試利用本練習來辨認它是不可行的。既視（譯註：Deja ve，法文，又譯似曾相識。）夢，就是那種在夢境裡，你感覺到某些發生的情節不但栩栩如生，而且後來還印證成真了；即可能暗示了直覺功能的運作。

試著不要判斷好或壞。我們的社會可能比較重視思考的功能，訓練我們偏離天然的傾向，並且投入升學的競爭。但在現實裡，所有功能都同樣重要，並且值得尊重。我們之間的這些差異為生命平添情趣，因此，假如你發現你的夢中自我功能和你平常醒時的模式大不相同，那或許是造夢者正指點著你應然的面貌，或者表示你生命中的某些區塊可能需要恢復平衡一下。

透過本書的練習，我們將鼓勵自己嘗試新的途徑去探訪夢，刻意採取這種或那種功能。用這種方式去工作夢，能提

供我們某種安全網，在我們於現實的處境中作類似嘗試之前。我們在本章裡已經區分了醒時之我、夢中之我，以及大我，或者說靈性的我。每個夢都讓我們有機會去進一步考察這些面向，及選擇我們邁向成長與和諧時尚欠整合的部分。

假如用這種方式來觀察不同夢經過一段時期，你將捕捉到自己重複著舊的行為模式，限制了你從一個更高意識與覺察的位置作出選擇的創造力。清醒時的處境也是如此，你可能突然發現自己總是握著自動駕駛的方向盤，夢遊似的過生活。假如你開始監督夢中和醒時的自己，你將辨認出這些已發展的模式，並且逮到正在重複模式時的自己。這需要一些決心，和一些時間，不過你會逐漸辦到的。

改善關係是這個工作的正面後果之一，你將發現你可以辨認出眼前的陷阱而不致走進去，並且回復到一種更自發的、更有創意的互動，而不再是舊有的情緒反應。底下這首不具名的詩，便勾勒出了這條美麗的學習曲線：

摘錄自「源頭」，五詩章的自述體

第一詩章
我沿著這條街走，
人行道上有個深深的洞，
我掉落、
我迷失了、
我舉目無援。
這不是我的錯，
我永遠離不開這裡了。

第二詩章
我沿著同一條街走，
人行道上有個深深的洞，
我裝作視而不見，
我又掉落了。
不敢相信我到了同樣地方，
但這不是我的錯，
我要找很久才走得出去。

第三詩章
我沿著同一條街走，
人行道上有個深深的洞，
我看見那個洞，
我掉落了。
這是種習性，
可是我睜開了雙眼，
我知道我在哪裡。
這是我的錯，
我很快就走出去。

第四詩章
我沿著同一條街走，
人行道上有個深深的洞，
我從它旁邊走過去。

第五詩章
我走在另外一條街上。

我們可以經由這個夢工程得到這麼多收穫！我們都有改變和成長的潛力，即使起初一部分的自我會抗拒改變。接下來，在本章的最後一個練習裡，將介紹體驗夢中之我的其他方法：

練習八：體現夢中之我

* 取出日誌，找到一個有全身式鏡子的安靜房間，站在鏡子前闔上眼睛，然後想像夢中之我具像化。回憶你在某個夢中的模樣，讓你的身體去意識夢中之我所具有的肉體感受。

* 你眼睛保持緊閉著，擺出你在夢中某個重要時刻所採取的姿勢。保持那個姿勢，讓自己真實地感受它；臉部表情也要模仿起來。假如合適的話，發出聲音或字語，讓它反應你的夢中自我人格。

* 當你將這另一個版本的自我具像化的時候，你升起什麼想法、情緒或感受？這些感受是醒時的自我所熟悉的嗎？

* 張開你的眼睛，看看鏡中。你在清醒時曾經像這樣過嗎？你看起來和感覺起來的模樣，讓你很意外嗎？它和你平常經驗到的自己很不一樣嗎？

* 寫一篇夢的日誌來描述這個體驗。

第三章的回應

你在本章裡所做的工作之中，某些經驗可能讓很讓你吃驚、興奮，或氣餒。這也可能是做這個工作的挑戰階段，也正是我們開始探索邊界的地方。

假如你發現夢中是比較年輕或不同面向的自我，試著將

它看成一段新關係的發展。它是透過像這樣的工作，藉著建立更安全而有意義的自我關係，於其中更能夠與他人產生聯繫。假如喚醒了痛苦的感覺，就留給時間和空間去呈現，並且榮耀它們，因為痛苦需要被表達出來。認識痛苦可能是你治療的某個部分，記住它們不是你的全貌，只是某個需要通過你來完成其過程的事物。

如榮格所說：「成為有意識是很消耗能量的！」你會感覺疲憊或掏空，在你用你的夢做完這些更深層的部分練習後。照顧一下自己，給自己一些休息和放鬆的時間；或者做別的事情來轉換一下能量，但適時的提振自己的精神。提醒自己，可能的話多留一些時間。在這趟旅程上隨時隨地用這種方式滋養自己。

關於你在這些練習中的收穫，不要和別人說得太多或太急。先給自己時間去消化它們。假如別人知道你正在努力改變你某些方面的行為模式，你可能會置於必須迎合別人或說話算話的壓力之下。可以的話保持自我觀照，看看是否有任何人注意到改變，起初先不要期望得太高。

不要因為你在某個練習或夢裡的學習，就急著做出改變生命的決定，給它一點時間。仔細思忖可能被喚醒的感受，或反彈。自問：「有任何部分的我對這個選擇感到不舒服嗎？」假如答案是，多點時間停留在感覺裡面，讓它發出聲音。你對這個聲音有多熟悉？你對於它所必須表達的有多常回應？你可以真正接受它的觀點嗎？再多觀察幾個夢，假如你是在正確的軌道上，訊息就會越來越清楚，你也可以利用這期間去作進入下個階段的準備。

注意你接下來的幾個夢，因為它們幾乎肯定會是加強你已經發現的。我們具有一種連續幾週、甚至幾個月都處理特

定主題的作夢傾向。同一個晚上的所有夢境都涉及同樣的核心主題。每個夢都是某個舊問題的新視窗，每個夢都可能提供了新的解決之道。

第4章
夢中見到的
人們

　　每晚在你夢中遇見的都是什麼樣的人？對大部分人來說，我們的夢有很大的比例都還有其他人。在我的經驗裡，連續幾個夢裡沒有另一個靈魂的人是比較少的。處理那種夢時，我們發現通常只有一兩個角色出現，但是這些角色通常缺乏很清楚的身分，沒有生命力，因此作夢者也漠視他們的存在。

　　作這種夢的人們來參加工作坊之後，他們的夢就逐漸開始改變了。首先是他們自己——透過和夢中的我，其互動關係更密切了——然後是和因為這種關注而受惠的，和他人的關係，承擔了更多能量和洞察。這種夢的工作體驗，使他們能夠在逐漸獲得清醒時分的社交技巧之前，實地練習和他人的互動。

　　我們夢中的角色引領我們去覺察各式各樣的人際關係。他們可能是我們清醒時認識的人們，或者我們透過媒體知道、但非真正見過的公眾人物和名流。有固定收視觀眾的肥皂劇裡，明星可以安插客串角色，在我們的夢裡也常擔任突出的角色。這時候也有一種夢中角色，跟我們清醒經驗裡的人們完全沒交集，卻在夢境裡佔有一席之地。某些人可能出

現在多個夢裡，感覺很熟悉，其他人可能只出現過一次；同時某些人可能只像背景上一個朦朦朧朧、可有可無的形象，或者無法辨認的某類型人群，而不是不同個人。

另一種常見的形象是綜合式的角色，可能由不只一個我們醒時或夢中生活認識的人物元素所組合成的。這種人就像我們認識、卻又不盡相同的某人，她或他的行為模式可能不同於這個角色，或者攜帶不同特質。我們必須觀察這些綜合式角色在行為和態度上與原身分的差異性，透過這種與原身分比對新、或「異」的方式，我們就會理解到他們帶來是什麼樣的特質。

夢中角色

這些夢中角色所攜帶能量的質或量，和我們對他們的情緒反應強度成倍數比例，而這將傳達出他們之於我們的生命意義。這些人可以這樣輕易地進入我們夢中的人是誰？他們代表什麼意義？在夢工程裡有個學派認為，夢中的每一件事，和每一個人都是真實的「我」，也就是作夢者。當然這裡指的是一種象徵的觀點，也可能是真的，雖然對我來說寧可是不容置疑的。夢也對我們透露了他人，特別是那些我們關心的、那些我們敬畏的，以及那些令我們恐懼的對象。簡言之，我們的夢充滿了那些與我們分享人生的朋友。

我們會說夢中的角色反映了我們的鏡中影像，顯示我們在異化的處境下，如何與不同類型的對象發生聯繫。他們可以突顯出我們的態度與偏見，並且捕捉到我們未經思考或缺乏同情的行為當下。他們熟練於展示我們所戴的面具，給予我們可資學習的榜樣。威脅我們的角色則提醒我們的恐懼與不適，給我們機會去處理、而不是去否定它們。

夢工程要求我們去檢驗自己與夢中角色互動上的行為，並且對照這些行為與醒時類似的處境。我們會驚訝於對自己的發現！透過這種方式去認識我們的夢中形象，將幫助我們更加了解自己。

　　我們在夢中可能比較沒有防衛，故能夠表達出我們平常醒時不太表現的思想或感受。或者我們會發現自己平常的行為，於夢中角色的交流中被刻意誇大了，好讓我們可以更察覺到它，並且或許質疑，這行為究竟適不適合我們。在和夢中的人們工作時，我們發現不但必須觀察他們，還要觀察我們自己。

　　正如夢中的其餘一切，人物也部分促成了我們當前的生命主題。有時候這個主題的源頭可能根植於過去，那些角色若非我們曾經認識的，就是將為我們帶來其他人的提醒。甚至於某個呈現我們目前生活情境的夢，可能透過聯想帶我們回到更早期的經驗，有的夢則單純帶來一個明確不過的訊息：「看，這就是你會做出的行為，你有何感想？你要對它採取什麼行動嗎？」

　　這裡就是這類夢的實例。作這個夢的克里夫，大約40餘歲。他是一個很有經驗的夢的工作者，和我一起受過訓，如今則在協助工作坊和課程的推展。

　　「我正在沐浴，背靠躺在溫暖的水裡放鬆筋骨，這時候門突然打開，有個男人闖了進來！他走到浴缸旁，然後用自己準備的一個小瓶子將某個東西倒進水裡。我被惹毛了，於是對著他大吼滾出去！」

　　因為這樣不請自來的闖入行為，克里夫醒來了，且氣憤依舊。夢的浴室背景暗示著與隱私或親密關係有關，然而夢中的男人他根本不認識。克里夫立刻發現這個夢又是一個侵

入私人空間的再現主題，那是他已經工作過的議題。他覺得
自己針對那個夢中角色的震怒，完全是情有可原的。

　　但是夢不會告訴我們已知的訊息，偏偏這種闖入的情
境，與隨後引發的憤怒反應又太稀鬆平常了。這時候克里夫
注意到，這麼男人從頭到尾都沒說話；事實上他根本沒機會
開口！夢裡的克里夫認為他打斷並且破壞了他沐浴的興致，
他根本不知道男人把什麼東西倒進水裡？好奇之餘，克里夫

選擇回到夢中詢問闖入者。

「當那個男人一走進來，克里夫並沒有朝他咆哮，而是詢問對方有何權力闖入，以及他要做什麼。男人看起來頗為驚訝，他說：

『呃？你明明沒有關門啊，我是說真的。我知道你要好好放鬆，而且我有些很棒的沐浴精油，想要跟你分享，讓你可以泡得更盡興。我不知道冒犯到你了，真對不起。』」

這反而讓克里夫啞口無言了！他總是將侵犯他的空間，界定為負面或有害的意圖。然而對方卻是個好心的、出於善意的、謙遜的人！克里夫必須承認他的確沒有鎖上浴室的門，不過也建議男人下次可以先敲門吧。

現在克里夫把重點更放在自己習慣性的憤怒反應，而不再是表面上的侵犯。假如這就是我們的議題，無論夢中或醒時都總是有人要闖入我們的空間。但是我們是不是一定要對此憤怒，並且不給對方有機會辯解就先對他們大吼大叫呢？

這個夢顯示克里夫為侵入者留了扇門進入，因此他也可以繼續探討這個部分。有些人可能視敞開的門為一種請進的暗示，也就是說親密感的表達方式之於他們，可能比我們意料的還要多——有些人就不是非常能意識到彼此的界線。你認識那種會打斷別人、會站得太靠近，以及不覺得打擾你太久的人嗎？我們必須對於自身界線的設定與維持負起責任。

這個夢還可能有另一個層面，假如說這個男人代表了相對的觀點，是克里夫自己沒有意識的行為呢？這個夢是否表示克里夫自己想要提供別人一些好處時，也會不經思索就闖入別人的空間？這種觀念可能很難說得過去，可是我們用來指控別人的，經常都是自己視而不見的盲點。醒時的自我意識會說：「當然不！我怎麼可能像這樣侵犯別人的空間？」

請注意這裡的措詞：「侵犯某人空間」是一個自我意識對他人作為之概念。假如夢中的男人真的沒有界線的問題要處理，或者對於克里夫似乎受到威脅的親密感階層並不在乎，那麼此處真的存在侵犯的問題嗎？正如我們在第三章所說的，自我意識並不是我們的全貌，而可能是沒有必要的防衛機制。假如克里夫夢中的這個男人，代表了他的隱藏人格：某個我們沒有意識，或者只是疏於注意的，藏在潛意識的人格呢？於是這個夢就被賦予了另一個角度，因為現在看來似乎顯示了克里夫與自己的某部分潛意識的關係。

克里夫告訴我，在花了相當一段時間來處理他的自我防禦之後，他終於理解這個夢中角色，其實是比夢裡顯現的克里夫更接近他的本體。如此看來，那名夢中演員比夢中之我代表了更多真實自我呢！那人看似負面的行為，如今則被諒解為是正面的，連同他那從容、善意的舉止以及關心的態度。克里夫已從他的夢中發現受到潛在人格的禁制，然而這個沐浴中的防衛性「克里夫」並非真正代表克里夫的本體，實際上是暫時接管了他「自我」位置的潛在人格。

用不著說，這是屬於夢的進階工作。需要時間和持之以恆，去充分整合這樣特殊的角色，並且釋放僵化的自我觀點，以及無意識的投射。

投射和移情作用

當我們未能辨認和接受某個無意識的自我時，我們將傾向於「向外發展」成為他者。克里夫之夢的原始型態顯示，他是如何受限於無意識地將某個被詮釋為負面行為的事物化為外部的夢中人物。在心理學上的術語就叫做「投射」。我們向外投射的，也是我們所吸引的。

你是否曾質疑爲什麼幾乎在你的關係裡，總是吸引到同一類型的人呢？這裡可能有大量的潛意識作用正在進行。要描述它的某一種方法是，在認識某個新對象之際，我們立刻感受到他們能表現出特定的作風，他們很適合在我們生命仍未處理好的動力狀態裡擔綱演出一角。我們是無意識的、經由更深的本能層次，而不是有意識地透過自我去認知這一點。的確，自我意識所看見的往往與事實相反：深入關係一段時間之後，溫文儒雅的男人可能變爲難以理解的善妒與操控，或者溫暖深情的女人開始收回她的愛意，變得愈發冷淡而疏離。

　　你將看見投射變得負面，因爲這些絕大多數都是被我們否認，而投射到別人身上的自身性格觀點。我們將自己與父母、或先前伴侶之間那些「懸而未決」的有害感受，移轉到另一個人身上，也期待他們用同樣的方式去呈現。假如在第一眼就使我們被他們所吸引的那種直覺沒有錯，他們通常，遲早就會陷入其中。這就叫作負向的投射和移情作用。

　　另一方面，極缺乏自信的人似乎總是困在自我持續的負面觀點裡，將他們的所有正面特質投射在別人身上。這種人將迫不及待地告訴你，你是多麼聰明、特別或美好，錯誤地將自身尚未承認的某種智慧或美麗寄託在你身上；這是一種誘人的正面投射，可是跟它的反面一樣不眞實，也可能讓你擁有自我膨脹的主張，假如你不經檢討就全盤接受它的話。

　　由於正面的移情作用，我們幾乎永遠期待得更多。我們傾向於尋找一個理想化而非有缺陷和弱點的平凡人類，而在這個人不能達到我們的期待時，我們又會感受到失望、背叛，和憤怒。在這個時候，移情作用就會反轉過來，變成了負面和破壞性的，這表示這段關係可能無法倖存。因此，除

非我們能意識到我們所連帶創造的，否則我們又重新和其他人玩起旋轉木馬的遊戲。

我們感受的投射和移情作用被染上許多細微和複雜的色彩。在和你的夢工作時候，請注意到這些可能性。現在，讓我們更進一步去觀察那些，將我們性格的未覺察特徵帶入夢中的潛在人格吧。

潛在人格角色

潛在人格這一詞暗指了隱藏在我們意識感知下的其他部分，它並不是說次一級的，而是聯想到被遺忘、隱藏，或未知的性格面向，是深藏於我們日常生活的表面意識底下的某個層次。

我們都有多個非常獨特的潛在人格。不論是好的或壞的，通常是遭到自我意識的否認，因而限制了我們對自我的認定意識、妨礙了我們的情緒發展與潛能。這個過程是由一個以上的潛在人格自己所維繫的；諸如個人的防禦者、檢查員、批評者或裁判者。這些類型的潛在人格通常太早被強調了，或許在嬰兒期，為了保護還是孩童的你自己。除非去挑戰它，否則將持續將你認知為兒童，並且終彼一生都企圖將你留在孩提時代。

你的意識拒絕承認的這些人格面，並不會消失，而是繼續存在著，在你的潛意識中聚集能量。有時候它們會跳出來，冷不妨地揪住你、搞得你一團糟，造成你的情緒反應，或者，藉由其他人的行為而觸動你失常的表現。這些可能危及我們的關係，並且諷刺的是，危及自我意識所擁抱的自我形象。

當然啦！並不是所有潛在人格都是負面的，正如克里夫

的夢向我們顯示的。有時候是戒慎恐懼的自我防禦在杞人憂天，許多潛在的人格，在我們開始探索它們的時候都是支持和有益的。它們在我們的夢裡顯現爲某些角色，能告訴我們從醒時自我的拘禁下脫困而出的方法，展示我們未被激發的天賦與能力。帶領我們遠離家庭或文化加諸在我們身上的限制，啓發繼而揭示我們眞實的自性。

認知潛在人格

在清醒和睡夢中，許多和我們有關係的人們都會帶著潛在人格的某些觀點。我們的父母賦予我們最初潛在人格的骨架，透過言教和身教，向我們示範父母該有的行爲。與我們不同性別的雙親，也給予我們最初的「他者」經驗，這也是我們理解「男人」或「女人」爲何的啓蒙點。這個知識的池塘也隨著我們的兄弟或姊妹所展示的生存方式而壯大。我們在學校裡認識的朋友、競爭對手和老師，以及雇主與工作同事都構成一定貢獻。伴侶和情人將扮演他們的角色，即使偶然的相遇都可以有給予洞察的重要意義；這個洞察是通往更寬廣的經驗，意即人格金字塔路徑的多樣面貌。

當這些和我們目前、或從前有過一段關係的人們來到我們的夢中時，他們可能正在傳達某些無意透露的教導，關於他們的或我們自己的人格：

* 他們可能讓你注意到現前的生活裡，正好表現出相同模式的某人，給你一個反省何者適當的機會。這是你在現在的兩人關係裡要的東西嗎？
* 他們可能用一種互補的呈現方式，去提醒你曾經一度重視，或者你所渴望從來不曾擁有的事物。

＊也許他們是來讓我們覺醒自己面對他們的行為。假設你在夢中見到母親或父親，你仍然像你孩提時代那樣的方式去和他們互動嗎？或者你更體貼而成熟，形成你自身的某些權威，因而如今更能一視同仁地看待你的父母？

或許更困難的是發現這些時刻：當你注意到自己的行為落入這些人習以為常的模式之際。這些熟悉的人影可能展現了，你如何接收了他們的存在方式，無論你是喜歡或討厭它，以及你正無意識的，在夢中或在醒時模仿它們。我們的夢最主要的功能之一就是喚回真正的自己。

有個分辨潛在人格的可靠方法是，其他人的行為是否觸動我們特別強烈的情緒反應。可能是他們正表現出我們不允許自己表達，或者拒絕承認的部分。底下有個機會可以讓我們了解，自己如何因為拒絕特定經驗種類而限制了自己的生命。我們也會分辨我們容易發難的審判態度，每當我們聽見自己大聲嚷著——「他好大膽！」「她以為她是誰？」「多麼假啊！」及諸如此類話語的時候。

當某人獲得一個更正向的投射時，我們可能說：「他真可靠、真強壯！」「她人真好！」「她從來不說別人的壞話。」「他好聰明啊！」或者「他支持到底。」我們可以看見這些人有許多特點：聰明、幸運、理性，和創造力，（我們特別善於放逐我們自己的創造力！）但是，假如我們只是讚美他們，那麼我們所作的事情就是將他們放在某個高高在上的、不穩定和孤獨的地位上。

通常這些人或夢中角色所作的，就是過著我們想要去過、卻持續否認的生活。他們視為理所當然的，看起來可能很危險，因此危害到我們的自我。我們要不是怨恨、就是讚

揚他們這點，但事實上，只有在我們開始爲自己承擔這些特質的時候才會成長。

夢中有個眞正的潛在人格，必定出現不只一次。他們可能並不總是一模一樣的，然而那連續幾個夢中的不同角色都有類似的模式。留意他們的相同之處，將有助於助你看見某個將浮現意識表層的潛在人格。最終你將看見自己的這個部分，如同這些角色集合而成的、某個清晰可辨的潛在人格。

某些潛在人格則可以立即辨認，或許是因爲他們挾帶著某種強烈的、清楚的能量或角色，又可能是因爲他們喚起了我們的強烈反應。其他的將提醒你自己——可能在你卸下防衛的時候——在某些時刻，醒時的你是什麼樣的。

代表潛在人格的夢境角色，通常有點，可能比生活更誇張。因爲每一個只代表人格的某一面，所以可以很清楚地定義出他們。這裡藏著我們的熱情，我們放聲大笑、跳舞、唱歌、繪畫、擊鼓、享受性愛以及袒裡相待的能力。

以一個教師爲例，可能發展出老師的強烈潛在人格，在夢中表現得彷彿只有她或他在工作似的，儘管其餘某些面向可能沒有被賦予這麼多的能量或注意。這部分的我們將在自己的夢裡擔綱演出，尋求我們的認同和合作。我想到某位老師，在自己的夢中有個不受拘束的脫衣舞孃潛在人格。她很高興地承認，那是她一直想做的隱密慾望！有個工作上必須隨時保持專注與莊嚴的醫生，則有一個非常活潑的、風趣的，和有點不負責任的惡作劇潛在人格，在夢中，偶爾也會在醒時偷跑出去玩。

相對於我們的面具，我們也有黑暗的、陰影的一面，如我所提到的。被我們藏在這裡的包括我們的憤怒、殘酷、恐懼、嫉妒以及野蠻。我們大多都知道某些引以羞恥的特性，

假如我們夠誠實。我們每個人都擁有人性裡最好和最壞的潛力，自我意識可以對這個浮現的陰暗面說「不」，然而一個健全的自我，將不會否認這個陰影的存在。

在讓這樣隱藏的潛在人格浮現表面時，我們用不著覺得必須擺脫它們，也不用覺得有改變它們的必要。我們要的是接受它們是我們人格的一部分，並且設法與它們發生關聯；這可能還涉及為它們找到更具建設性的角色，或者建立一個適合保留它們的內在容器。它們的價值在於做它們自己，亦即我們整體的一部分。在與這些潛在人格工作時，我們的目標是放在：

＊自我發覺；

＊緩和關係；

＊加強自我覺察；

＊解決內在衝突；

＊了解更多自我潛能；

＊測試及重組自己的界線；

＊在做決定的過程裡提醒自我。

我們可以達到這些目標，透過與我們所發掘的潛在人格深度連結，而後幫助它們彼此達到連結。當我們遇到某個難纏的潛在人格，並且理解到它對我們的生命旅程強大儘管幽微的影響力時，我們可能因此覺得無助和徒勞。感覺到這些模式被如此強烈地印證，不禁讓我們懷疑到自己怎麼可能有任何作用。

但是你只要開放改變的可能性，而且足夠堅持下去！你必須看見，你無法完全從自我意識的位置去努力。自我意識通常受到某個棘手的潛在人格牽制許多年，它會本能地限制

你的反應模式。你需要新穎的觀點，通常來說，假如我們有呈現某種特殊模式的潛在人格，就會有另一個、相對潛在人格的出現，並且與之抗衡，支援你的自我意識。底下是某些從我自己的內在過程得到的工作，或許有助於解釋這個觀念。

深入夢境的過程

在轉變夢的工作坊，我們從原始的夢開始，繼而利用任何可得的技巧或手段去迎接夢的洞見和訊息。許多剛接觸夢的工作的人，把他們的夢紀錄下來，嘗試某種技巧，得到某些收穫，就覺得自己處理完了那個夢，可以繼續練習下一個了。這樣也可以，因為無論如何，他們有的下一個夢也會提出相同主題的不同觀點。但是藉由更多練習，你將學會深深走入每個獨立的夢境，讓它保持著與你的意識更靠近，通過許多工作的階段前進，並深入你的內在過程。

我們不需要改變任何事，只要保持警覺，並且在目前的主題浮出我們的清醒生活時意識到它，伺機尋回夢中的訊息。以下這個我作的夢有助於解釋這點。

「我和一個帶著笑意的非裔女人在一起，在一群村舍中央的空地上。我們面前的溫暖紅土地上有個很大地、古老泛黑的大鍋。她年約40歲，穿著單調卻鮮豔的長袍，用頭巾在頭上纏成一圈。她大笑著，彷彿這世上沒有任何煩惱。」

「『女孩，來這，和我一起蹲著，我們有活兒要幹！』她說：在她旁邊的我就地蹲了下來。我喜歡她那輕鬆的談吐、活力，以及那快活的感覺。她就像一縷清新的氣息，其他女人走過來加入我們。看起來我們會圍坐成一圈，談談女人家的事情，也許還會一起吃飯呢。」

過程：第一部分

　　這位可愛的鄉下女人，在這個夢裡來到我面前的時候，正好是我將注意力都放在某種身體工作上，試圖鬆開緊繃已久的肩頸部位之時。我正在看某位本地的治療師露西・里德爾（Lucy Lidell），她也是夢的工作夥伴，結合了按摩以及順著治療接觸所喚起的想像力，創造出一套與身體工作的神奇方法。

　　就在我夢到非裔女人後，某堂課裡露西正在工作我緊繃的肩頸，我有個想像是某個身著灰衣、冷峻、嚴肅的男人站在我的背後。他用大手緊緊掐住我的脖子，幾乎快要將我舉離地面了；只剩下腳趾還碰得到地板。雖然我以前從來不認識這個人，我立刻認出他曾經這樣掐著我一段很長的時間，

甚至連我自己都未查覺。我從孩提的經驗認出那種，源於這樣動彈不得似的冰冷恐懼狀態。我感覺到胃部和上半身那種熟悉的緊繃感。

在男人的灰衣底下，彷彿由錫鐵所做成的，有點像「綠野仙蹤」（The Wizard of Oz）裡的，那個沒有心的錫人！他的身體感覺僵硬無比，並且保持原狀，而現在，我的身體也受到同樣的影響，我發現，他竟讓我聯想起我的母親！

在她那同樣內在男性形象的監控之下，她擺出極為僵硬的、不自然的姿態，那是我從孩童和少女時代就耳濡目染的形象。它吐露了母親的壓抑和凡事一絲不苟的要求，使她無可避免地成為控制欲強的人格。不幸的是，她終其一生都緊守著這層禁錮，正如我在自己身上所承受的。

我痛恨困在這種無助的地位，試圖規勸這個難以溝通的男性，就在此時，我的夢裡突然來了個非裔女人，毫無忌憚地放聲大笑！

她簡直是在他身旁打轉，她說：「嘿，看看這個傢伙！這個傢伙呀，是從另一個時空來的！看一看他的模樣！」然後用她的食指充滿興味地戳一戳他，從頭到尾興高采烈地咯咯發笑。她那愉快的好奇心是有傳染性的，於是我也漸漸「亮了起來」。這個女人輕蔑的言語，以及完全不為男人所恐嚇的態度，使他有如「洩了氣的氣球」，他顯得很困惑，對自己愈來愈沒有把握了。

我從來沒有想到邀請她來幫我。我確實嘗試著說服男人放開他在我身上的魔爪，用一種相當理性的、心理學教科書般的標準做法。換句話說，用他的方法！因此我仍然努力「做得一絲不苟」，我依舊用錯誤的模式！然而這個女人粗俗且冒失的行徑，卻克服了陷入僵持的對峙狀態，並且喚醒了

我的自我。

　　每當內在男性勒住我的脖子，我就無意識地回到過去那個恐懼的孩童狀態，困在「該做」與「不該做」的教條裡，努力要把事情做好，以逃避我母親的責難及可能的懲罰。他抓著我，就像抓著一隻兔子或貓咪一樣的抓法，於是牠們只好怔在原地，動彈不得。

　　我的新非裔朋友告訴我，假如我可以認同他和我自信的、較不正式的、成熟女性的自我分離，我就可以脫離他對我的掌握。接著我又繼續告訴他，我不再受到他這樣的掌控，而且我也不需要他擔心我做錯的種種設防了。沒有人可以再用那種老舊的方法恐嚇我的內在小孩，危險已經不存在了。我現在搞砸了很多事，但是無妨，我只是個凡人，就是這樣！在我下筆之時，我感覺到那個非裔女人咯咯的笑聲又迴響在我的心底。

　　隨著觀想（以及按摩治療課程）趨近尾聲，女人給我一個水壺，那是一個很大的燒成陶碗，相當實用的物品，不是那種用在儀式或祭典上的器皿。「這是用來製做東西的，」她說，「你可以從麵包開始。」

　　我很高興在結束觀想前又見到她，我相當珍重，並且高興地收下我的禮物。我喜歡做麵包，儘管我通常沒時間做麵包。我買了麵粉和酵母，但是有其他事情需要我去照料，於是我又擱下做麵包這回事。

過程：第二部分

　　幾天之後，在浴室裡（我常在這裡反省夢工程），我又感覺到那個錫人了。我的肩頸一整天都是緊繃的，我甚至覺得他頑強地佔據我的身體。我以成人對成人的姿態，從靈魂的

深處和他交談，對他竟然還能夠影響我的身體感到厭煩，儘管我已經確定了他的身分，也理解發生什麼事了。

我告訴他我不再是他以為是的那個小孩，我提醒他，我現在不需要他的保護，而且我希望他放手。我知道我從母親那裡繼承了太多他的影響，我命令他回到母親那裡，回到他原來的地方。如果我們可以基於摯愛的心而做出這樣的決定，我們就可以改變從祖先那與生俱來的情緒和心理模式。當我們這麼做時，就像許多人如今所選擇的做法，我們不但開始治療自己，也改變了我們的祖先。

這種治療部分在於承認，你是自發參與了維繫這種行為的共謀。因此現在我回到錫人本身，我很肯定，有一部分的他是我不知不覺加諸自己身上的，隸屬於我，並且確實為我所有。

送走我的母親不受歡迎的賜與之後，我感覺有些壓力離開我的身體，也有一種更加寬敞的空間感。不過我自己的錫人，仍然像機械人似的牢牢將我掌握。我告訴他必須放開我，想像一隻接一隻扳開他的手指。他站著，如今不太確定的，鬆開他那緊繃的右手、右臂；我升起片刻的悲憫──因為這麼多年來，他也始終陷在同樣猙獰的驅使下！

我再三向他保證，在我的生命裡，會再替他找到一個新的地位和角色，而且我更珍惜他的意志力量，他的堅持不懈，以及他對使命的奉獻。他又看看自己鐵爪似的雙掌，「我還可以用手做什麼？」我知道他需要某些實際的事物，先讓他消除雙手的僵硬，才能繼續其他事。我突然靈光乍現，咯咯笑說：「你要跟我一起做麵包。」我說，我不禁感到讚嘆，早在自我意識做出必須的調整之前，與生俱來的智慧就察覺到了。

過程：第三部分

　　有趣的是，那個非洲女人（那個解毒程式）恰巧出現在那個錫人意象所引發的需求之前。現在我也將這個女人看作某個潛在人格，我可以辨認出這兩個都是存在的，同時反映及表現了兩種截然不同的存在方式。我的內在不時出現一個天生愛玩的女人，這個非裔女人還帶來某個遙遠大陸的陌生事物，充實了我這部分的體驗。許多西方人民如今都會夢到這些人：非洲人、北美印地安人、馬來西亞，以及印度的人們。他們都帶有不同的特質，根據他們的文化背景，因此可以為我們正在處理的內在過程，帶來一種全新的體認。

　　當你夢到這類型的角色，並且注意到他們可能表示潛在人格時後，你可以試著寫下一串用以描述他們的關鍵字詞。所以我的非洲女人就會是：自然、流暢、好玩、自在隨和、大剌剌、腳踏實地、出於本能、多采多姿，以及讓人安心的自覺。

　　相形之下，那個錫人就會被看成：脖子僵硬、防禦、無情、規矩、頑固、堅定、封閉、陰鬱，以及受限於狹隘的視野，乃至於擁有非常難以辨識的自我感。我知道有時候，我會成為這些所有或部份特質，但我現在的生命將傾向更多她的、或更少他的影響。

　　長久以來，我的理智早就理解母親的存在模式之於我的限制和壓抑影響，我努力讓自己擺脫她的掌握，學習為我自己著想，去享受我感受的奔流，去釋放我的恐懼，因而成為較不嚴肅、防衛的個性。但是我的身體花的時間較長，它的速度比較慢；它的細胞保留了我們曾經歷的痕跡，而且身體既不會說謊，也不會遺忘。

　　我一直非常感謝我的身體，它是一個很好用的身體。如

今我上了年紀，讓我更意識到它的脆弱了。因為我是直覺型的，我的身體總是最後一個被注意的，向來都是如此。現在我認識了這兩個潛在人格，我可以想像由於無意識侷限的作用，我的身體是怎麼了，我確實感受到事情開始變化了。這改變並非一夜之間——身體是需要時間的！但只要知道，我將感受到這個新的工作所將帶來的身體獲益，那就夠了。

在夢的工作中運用觀想

夢的工作涉及的許多技巧，都要求你運用觀想的技巧回到你的夢中。絕大多數不諳重訪夢境或利用觀想技巧的人們，都會質疑結果，問道：「這一切是我編造出來的嗎，你認為呢？」

我總是回答，「嘿，也許是吧，我們對於異想天開的想像了解太少。但對於你可能遭遇的任何狀況，我想知道的是，你為什麼選擇了特定的，原本苦思不解、後來卻如此有意義的想像？」

有個確認你的經驗仍然真實可靠的好辦法是，當你發現想像出來的人物或情節讓你徹底嚇了一跳的時候。我就對非洲女人的出現很意外，且困惑於錫人所顯現的型態，雖然我馬上發現他的影響力是如此的熟悉。有意識的想像力，可能召喚出不請自來的對象。

另一個確認你所發現為真的方法是，在冥想之際，在某個瞬間聽起來很真實，並且在你後來回顧經驗時仍經得起考察。在早期的階段，你可能必須承擔更多信任一段時間。給你自己和你的造夢者一點時間，去讓狀況趨於明朗。對於潛在人格，對其他的夢中角色、或醒時新見過的人們，那句老話都很適用：「時間自然會證明一切」（By their fruits ye shall know them）！

現在我想要往前，透過一些和夢中角色面對面的練習，帶你進入你自己在這個工作階段的經驗。這將包括利用觀想或創造性的想像力（又名為活化的想像力）重訪你的夢，並進入超常意識狀態裡。在你重訪夢的時候去讀指令將產生不良的後果，因為這將驅使你進入你的頭部，隨即接管並且遏止想像擴散。這亦適用於你摘要經驗的紀錄；是故你最好先將練習讀到完全了解，再回到某個夢，順著你的感受自然遇見夢中的角色。事後紀錄就可以了；不用煩惱無法掌握整個經過。就某個層次而言，你仍然保有它，即使不是所有細節都能直接帶進意識表層裡。

練習九：和夢中的角色面對面

第一部分

＊選一個你想更認識的夢中角色，可是不要第一個就找嚇人的角色。

＊在開始這個練習之前，先做好這個夢的所有基本功課。對夢裡的情節和你所選擇的角色進行聯想和連結，讓自己感覺更有把握，假如你盡可能了解你將要認識的背景，在你真正去和他們會面之前；就像你在醒時要會見某位新朋友前，應該先蒐集一些背景資料一樣。

＊現在開始仔細感受，你為什麼想回到這個夢中，還有你想要問這個夢中角色什麼問題。

＊在進入本練習的下一個部分之前，記得找個不會被打擾的工作環境。等你經由重回夢境而進入某種轉換的

意識狀態（超常意識狀態），任何打擾都會讓人相當震驚和迷失方向。自己設定心靈的時間範圍，15分鐘就很夠了；結束前再預留一些紀錄的時間。

第二部分

＊靜坐個幾分鐘，和你的呼吸保持接觸，讓那呼吸的穩定節奏引導你進入一個安祥、平靜的內在空間。

＊用你的心靈之眼回顧這個夢，讓你的焦點落在你所選擇的角色上。你就要重新進入這個夢。進入時記得保持開放和警覺，願意傾聽他者的論點，暫時放下懷疑，並且讓自己完全臣服於經驗裡。

＊在夢中選擇某個和這個角色在一起，還可以看清楚所有人的角度。讓自己成爲夢中的「你」，或者單純想像自己進入夢裡，假如你原本不在那的話。問候夢中的角色，只要說聲「你好」就可以讓他們確實知道你的存在。

＊注意你對於其他人的感覺如何；你是沮喪、憤怒、疑惑，還是很高興見到對方？你可以和他們分享這些感覺，留點時間讓他們去回應。或許你可以問問這個人，基於何種原因而來到你此刻的夢中？同樣的，等待回應，正如你在醒時的會談裡一樣。

＊雖然你可能有些重大的疑問，你也可以純粹藉著傾聽你所獲得的回應，從中發現線索。這是一種更敏感而相關的方式，比起按照先入爲主的議程表逐項發問，而不管對方如何回答。你們的對話最終將發展出某種自然的律動，正如醒時的對話般。

＊有時候沒有合適的話語，這時用手觸碰表示共鳴，或

一個擁抱，都透露了很多。加入對方正在從事的任何活動，也可以是進一步了解他們的好方法。有幾次，我曾與夢中的角色無言共舞，模仿他們的動作，就逐漸能感受到對方所感受的。

* 不論你是單純交談，分攤某個任務，或者模仿對方的舉止，找個時機問問這個角色，你是不是可以爲他們做什麼；某些他們希望你做的事情？在你答應以前，先想一想有哪些部分可能被捲入。假如對象的要求太多或太難，就這麼說，並反問是否可以先做比較簡單的。無論在這樣的內在之約裡，答應了什麼要求，你都必須履行；或許是在醒時，作爲某種新關係內彼此尊重及信任的標記。你將回應一個要求，而不是盲目聽從什麼指示。假如你有一個有力的角色，他似乎想告訴你該怎麼做，你有權力拒絕，也有權力呼叫夢的幫助者來支援你，或結束聚會。當你用這種方式和夢中角色打交道時，他們通常都很合作，就算有些難以理解。

* 現在問這個人帶什麼禮物到你的夢，和你的生命中？這可能是種象徵性的贈與，盡量不要拒絕任何覺得不妥的事物。保持開放和接納，因爲這份贈與的意義可能在反省時才明朗化。

* 這會是離開這個初次聚會的好時機，找個機會感謝夢中角色與你相伴，即使這個會面不怎麼順利，用你們雙方都認爲舒服的方式道別。你可能希望還有下一次約定，好讓彼此更了解。你可以選擇在進階的練習裡這麼做。

* 離開這個夢，再次清楚地意識到你的呼吸。張開你的

雙眼，並且打量這個房間，回到你的自我，和你的環境裡。伸展一下肢體，或站起來，稍微動個幾分鐘，和你的身體接觸著，但維持你剛才感受到的靈性。

＊當你準備好了，在夢的日誌裡寫下這次經驗。

練習九的回應

這些和夢中角色的聚會都可以充滿了意義和覺察，有時候在我們紀錄摘要的時候閃現，也有在體驗的過程。如果這個方法對你沒有用，再換另一個夢中角色試試看。很可能是對這種工作方式的陌生感，讓你排斥它。也許你不太容易觀想，我發現在我工作的團體裡，這種障礙在男性比女性更普遍。下面是另一個途徑，也許對你的效果更好。

練習十：用替身工作

＊選定你的角色，做完基本功課以後，找一個坐墊代替這個夢中角色，再找一個代替你自己（你可能比較想用兩張坐椅來代表）。在它們之間留出一段你覺得舒服的距離，然後坐在「你的」替身上，看著對方，了解這是你的夢中角色的位置。你甚至會覺得自己真的看見那個人在坐墊上。

＊像前個練習一樣開始，問候那個角色，告訴對方，你對於他在夢中出現的感覺如何。你可能也想要問第一個問題。接著坐到對面的另一個坐墊上，你很清楚自己所做的，你也將成為這個夢中角色，你聽見了剛才你告訴這個角色的。現在讓自己從這個地位回應，讓這些話透過你而傳達。

＊當這段話自然停止時，回到你自己的坐墊上，接收那

個角色剛才所說的，然後回答。這樣在兩者之間交換位置，讓這些對話找到它們自然的律動。

* 永遠要在自己的坐墊上，回到你自己才結束這段練習。我們不希望你離開這個工作時，仍然潛意識戴著夢中角色的人格面具！等你確定你完全回到自己的身分，與你的身體和外在環境接觸了以後，再寫下你的紀錄。

練習十的回應

花時間思考一下你和夢中角色之間發生了什麼？這會是不斷前進過程裡的某個部分，也只是一小部分，而且在你走完這一步，在接下來幾個夢，繼續朝潛意識前進時肯定還有後續的補充；外在的生活也會有些同時性現象，因為某些內容將以醒時的巧合事件反彈給你。隨時警覺這些工作的印證，並將它們補充到日誌紀錄裡。

什麼主題現在對你變得明確了？你從這個練習裡學到的，如何幫助你連結到目前夢的主題和內在過程？你對這個角色的了解是否因這個會面而改變？你覺得自己現在更認識他們嗎？

別和其他人提到太多這段內在的過程，或你對這個練習的心得，除非你已經有時間消化，而且深切體會了。不曾參與過這類工作的人們可能無法理解，因此他們的評語可能，對於急著學習、成長中你的脆弱內在造成傷害。

假如你答應為你的夢中角色做些事情，記得要去實現，最好就在這幾天內。永遠不要答應任何牴觸你自身的道德或倫理規範，或者違法的要求。

這個練習讓你對自己有何感受？你喜歡在這個夢和這次

聚會裡的你嗎？或者你覺得有些氣餒或羞愧？也許是因爲你的自我意識貶損了你一下？記住不要太苛求自己或其他角色，就算進展順利也不要太過溢美。別著急，等一下，再看下一個會帶來什麼收獲吧。

第5章
發掘
你的象徵

象徵是個神秘的東西，超越明顯的日常意義，任何象徵都透露了某些深層和晦澀的部分。這種隱含意義的感覺，造成一種可以是吸引或排斥的魅力，卻都難以視而不見。當我們苦思某個象徵時後，相對就會翻攪起我們內在的某些深層回應。

對於人類來說從最早起源就不可缺少，象徵是與潛意識的直接溝通，透過對方的語言，帶來單獨以意識理智無法完全體會的知識。我們不可能掌握日復一日發生在我們身上每件事情的所有絃外之音，但也不曾遺失，因為潛意識心靈都儲存了我們的所有經驗。藉由某種迴避表意識而有意義的轉換，這份內在的智慧就會湧現作用。我們過去私人經驗的記憶都被融為現存的唯一；這遂導致如同磁鐵的作用，從我們的集體歷史汲取相關的資料。整體於是形塑成某個獨立的象徵，其功能便是凝聚我們的注意，撥動我們的心弦。

很容易看見象徵如何歷經許多世代，累積成被廣泛接納的共通意義，像它們之於集體潛意識的智慧遺產那樣將我們聯繫起來。這幫助我們了解那些別無他法捕捉的概念；然而，勉強採用共通意義為你象徵所帶訊息的解釋是不夠的，因為任何來到你面前的象徵，還挾帶了多層更重要的私人寓

意，只有對你是有意義的。

　　每個象徵都是擴張性與多面向的，需要一些時間來反應，才有辦法得到針對我們所徵詢的完整意義。我們必須屏除自我的認同、分類，和前進的習性，我們有時候甚至得放棄尋找意義，取代的是容許自己品嘗與象徵同在的體驗。這種與象徵極度親密的私人連結，將會賦予內在之旅更大的深度和空間。

象徵和符號

　　一但我們了解象徵充沛的活力，我們就比較不至於將它們和符號混淆了。符號乃是立即可辨認，其意義的傳達是透過尋常使用的熟悉度。如某個徽章上的圖案可能表示佩帶者參與特定的組織，但這並非象徵。商標宣示了一項產品的獨占所有權，保障了製造商的權利。機構的組織可以縮寫至首字母，例如：NATO（北大西洋公約組織）或FBI（美國聯邦調查局）；同時這些字又可以通行識別，它們基本上不過是建立認同的較快途徑。道路標誌利用簡化的圖形，警告我們前方的路況，這些都是符號的功用，除此以外別無暗示。

　　象徵也啟發了全世界的藝術家、作家、編舞家、作曲家和建築師的主題。分析和超個人心理學，以及其他的治療學派皆引用象徵，作為某種闡明心靈的指導創造泉源，支援他們對案主工作的見解。同樣的符號也可以有操作性的用途，這是廣告人士和政客再了解不過的。除了既存的普遍象徵，英國的工黨選擇紅玫瑰作為新改版的標誌，以凸顯其新勞工的意象。藉著玫瑰和諧、完美、熱烈的言外之意，甚至還有附庸風雅的英國園藝聯想，賦予工黨比老舊的紅旗圖案更柔軟、更溫和的印象，它的設計也說服更新、更多中產階級群

眾接受這個傳統的勞工階層政黨。

　　某牌玉米粒罐頭的笑臉綠巨人，則是第一章提到的綠色巨人變形版。同名影片的男主角，只要一生氣，就會獲得超人力氣和發達肌肉，並且身體變綠色、將他的短上衣繃裂！當然甜玉米粒和電視本身都不是普遍性的象徵，但是就選擇某商品、或某頻道的有力象徵角色而言，它們卻都喚醒了我們對其活力的下意識感受。

　　幾乎所有宗教用途的象徵主義，都傳達和強化了宗教經驗。的確，如聖經、可蘭經、塔木德經（猶太法典）這類偉大的宗教典籍，都可以被視為重要的象徵作品，崇拜的空間以令人目眩的拱弧構造、教堂圓頂、清真寺尖塔，和螺旋階梯象徵通往天堂。我們看見大地之母的殿堂充滿了穀物、蠟燭和鮮花，神聖場所也以圓形為造型特色，也許是個玫瑰窗（西方教堂裡的圓形窗戶）、或曼陀羅，它們都表達了自性的全體和圓滿概念。

　　在基督教義中，最重要的象徵符號是十字架，提醒我們耶穌為世人受難而死，之後奇蹟復活。在某些文化裡，太陽也有這種象徵性的宗教功能，它賜予眾生的能量在最原始的先祖時期受到彰顯並崇拜，他們目睹著太陽夜復一夜地「死亡」，卻又在每個新的黎明重生。

　　西元1999年8月部分歐洲地區的日全蝕現象，足以嚇壞我們原始的祖宗，帶來所有地球生靈毀滅的惡兆。太陽象徵的權力透過埃及法老而傳承著，南美印地安人和其他部落人民的太陽神，直到今日的日本，神道教仍然奉太陽若神明。

　　榮格解釋，「由於無數事物超出了人類的理解範圍，所以我們總是利用象徵名詞來代表我們無法定義或充分體會的概念。這是為什麼所有宗教都使用象徵語言或圖像的理由，

　　但是這種有意識的使用象徵符號，只是某種意義重大心理事實的其中一個面向：人類也無意識地、自發地，透過夢的型式製造象徵。」（摘自《人類與其象徵》）

　　有個最普遍的象徵，源起自回憶和夢工程的悠久傳統，就是蜘蛛，「Iktome」，夢的保存者，以及某些北美印地安傳統裡的織夢者。蜘蛛編織網好替我們網住夢，某種說法是牠在我們睡夢時網住並保留好的夢，過濾掉不好的夢；其他說法則相信牠捕捉每晚的夢，無論美夢或惡夢，讓作夢的人睡醒時也能記住。某些美洲原住民會依據蜘蛛網的形狀來製造

補夢網，掛在他們的睡眠空間裡。他們會在網子中央掛上一個特別的羽毛或珠串來代表蜘蛛之靈，守候著夢的來訪。

你可以製作自己的補夢網，並在其中掛起羽毛或象徵你所工作的特定夢境的小物件，或者你可以自己買一個，如今很多都有商業的銷售管道。但請小心對待你帶進睡眠空間的任何物品——假如你想買補夢網，花點工夫去感覺它的能量；假如覺得不適合，就不要買。找到適合的補夢網以後，小心翼翼地將它放在你的臥室裡，並了解到它是一個象徵物，可以幫你記住你的夢。

為什麼平凡的蜘蛛變得如此具有象徵性呢？許多人都害怕蜘蛛，或許意識到萬物母親（Great Mother）的某些陰暗面，就像命運的紡織者。牠帶著神話人物的某些特質，例如希臘月亮女神阿蒂蜜斯（譯註：Artemis，書裡所載原文Anthena為智慧與戰爭女神，經考察確實與此處文義不符。Artemis原為三體女神之一：包含掌管陰間、月黑之夜和暗處的陽間的月陰女神；但是後世被人跟月神混在一起了。）這個世界的編織者，以及三個命運女神莫伊拉（譯註：the Fates，轉動生命之輪來紡織人類的生命之線。此三女神是天神宙斯與正義女神席米司的三位女兒：莫伊拉女神，分別是紡織人類生命之線的Klotho、決定線長短的Lachesis、負責剪斷生命之線的Atropos。），她們分別紡織、裁量並剪斷生命之線。在印度教和佛教傳統裡她的名字則是摩耶，虛妄之網的編織者，也代表永恆的創造者，用唯一存在的物質縫綴成大千世界。（譯註：Maya，在佛教用語裡為幻象、虛妄，又為釋迦牟尼的母親摩耶夫人；根據宇宙一元論的看法世上只有一種絕對存在的物質，且所有變化最後都是虛幻的。在印度教組成現實的元素則是maya或 prakriti的一部分——所有事物最後都交織成同一個網絡。）

蜘蛛之網又被比擬成命運之輪，蜘蛛則是坐鎮於其輪轂的女神。我們崇拜蜘蛛編織網的能力，那是一種絕美的精緻；但更崇拜它的韌性。也許蜘蛛的絲網所保留的夢，久得足夠讓我們停留在它們之中，也將我們從清醒意識的無名幻象裡解放出來。在補夢網裡的牠不再是掠食者，而是遊走於睡夢與清醒時的協助者。

假如你非常畏懼蜘蛛，並且完全無法透過蜘蛛來聯想，你可以考慮用貓頭鷹當作夢的象徵。牠是雅典娜的聖獸，代表著智慧，有些部落人們認為牠是夢的使者。但是這個象徵也有牠陰暗的一面；與許多死亡和孤寂的神話故事有關。畢竟夢源自於夜晚，從未知裡實現了潛意識的黑暗面，所以和以夜間、陰暗生活模式為人所知的夜行性動物有所牽連。

象徵是夢最重要的禮物，帶來嶄新而豐富的深度和意義層面，還有新的挑戰！因此當我們走入夢中、更加了解我們的象徵時，我們就朝我們的潛意識又跨進了一步。我們必須真正「屏除心念」以連結象徵，我們無法依賴理性和邏輯；唯有藉由象徵的誘導，透過它獨特的方式，也就是潛意識的語彙，才能和夢溝通。

看待象徵的新態度

夢的象徵語言是非常微妙的，蘊含超過了我們睡醒時直接可辨的意義。我們需要同樣微妙的探索方法，避免用理智詮釋的固定路徑，否則意義可能被削弱了，且相對地淺顯。假如你有一本夢的辭典，把它丟掉，或至少暫時擱在一旁！讓別人來告訴你夢的象徵意味什麼，只會讓你停止努力，引誘你接受它那絕對權威的解釋，如此將導致你為了符合表面的意義而削足適履。

最好是保持開放的態度，探詢你的象徵，從各種角度探索它、觀察、學習，並質疑。隨著它的能量向前流動，層層過濾，直到你漸漸的，透過各種探索方式抵達自己獨特的體會境界。這樣一來，你將較不至被動，享受著發現自己獨特洞見的欣喜。此處就是我過去學生的一些實例：

孤獨的狼

「有一隻狼在街上流浪，我看見牠，並伸出我的手。」

從「小紅帽與大野狼」到《與狼群共舞的女人》一書，狼作為象徵的可能詮釋既廣泛又具多變性。不過沉浸在這個夢裡，我們會發現這是一匹孤單的狼，相對於群體動物而言不該有的狀態，也遠遠離開牠的自然環境，或家鄉。和此意象繼續工作後，作夢者立即發現這種狀態與她跟自己家庭的疏離感受之間的關聯，他們定居在另一個接近森林的國度。她於是成為異鄉人，且不時感覺到某種強烈的被排除感與孤寂感。

夢中的動物也代表了我們天生賦予的未開化本性。作夢者繼續往這個深層的境界探索下去，檢討自己對於信任的缺乏，以及與這般重要的內在自我的疏離。她伸出雙手則可視為希望的象徵，表示她無懼於狼一般的天性。

蚌殼

「我正沿著海岸線走，身旁有個約莫兩歲的小女孩。我找到一隻緊閉的蚌，我想知道蚌殼裡是不是有珍珠，但我不知道如何使牠開啟。小女孩教我怎麼做：利用另一個貝殼來撬開蚌殼。殼裡不但有珍珠，而且還有很多顆，起碼有十幾顆。我驚訝極了！」

那隻蚌是緊閉的，暗示作夢者也是選擇緘默。蚌殼很硬，守護著柔軟的內裡；而作夢者對蚌殼一旦開啟可能顯現的寶物感興趣。透過與夢工作，蚌內的珍珠逐顯現為「……深層內在所孕育的智慧結晶。」

小女孩知道打開蚌殼的方法，是一個可以開啟她內在智慧的小孩，她指引著已經替自己築起這樣堅硬的外殼、而和內在的智慧失去接觸的成人一條明路。

小羊

「我在某棟房屋附近耕犁（花圃上有犁溝）的花圃裡，這些花圃周圍還有蜿蜒的小徑。當我沿著其中一條小徑走時，我看見有一隻凍僵在犁溝裡的小羊——或者看起來如此。」

羔羊是基督教信眾裡最迷失脆弱的表徵，也是兒童的共同象徵。看見一隻「凍僵在犁溝」的小羊，似乎不同於一隻既和羊群也和母親走失的羔羊。作夢者在夢裡注意到這點了，於是繼續夢見：「牠無疑又虛弱又瘦小。我將牠擁入懷中，餵食並溫暖牠。後來，我看見牠的母親和許多其他小羊，就讓牠回到家族裡。」

所以作夢者就像原型裡的好牧羊人、或撒馬利亞人（聖經裡謂道德標準高於常人的撒馬利亞人）：哺育並保護著小羊。個人和普遍的寓意逐不再區別，透過毫無佔有慾的救贖小羊，作夢者實現了圓滿的自性。

辨識夢的象徵

你可能開始辨認，及思索自己的夢的象徵了。有的象徵相當顯目，像這裡的一樣容易辨認，其他象徵可能很晚才浮現端倪，匯聚能量。假如是這種情形，你可能屢屢夢見它們

有雷同的事物、情境或關係。經過一個又一個夢後，某個象徵本體的主題或中心思想才會逐漸明朗化。若非如此，你也可能夜復一夜夢見同一類型的人，這些夢中人物可能拼湊成同一個或同一群象徵的人物，具有某些象徵性的隱藏意義。

正如我們在第四章裡看過的，組合式的人物普遍存在夢裡，他的存在就像作夢者某個熟識的友人，但又不盡相同。可能部份是外在的、部份是夢中的角色，或者融和了兩個我們認識的人格，指出我們無須太執著於該角色表面上所呈現的、我們認識的某人。更應該去思考兩個不同角色的屬性、特質或行為，看見它們領你所至之處。

象徵的症狀

既然在夢中生涯的我們大多缺乏實體的存在感，所以當某些部位要求我們注意其症狀時，它們極少是真實的，而更常為隱喻的方式。這類的夢向我們顯示，某些我們無法、或不允許自己表達的情緒停留在肉體裡，歷經一段時間的累積，終於導致不舒服或病變。假如你的肩頸習於扛著壓力，那麼壓力累積太多的時候，你可能夢到自己掛著一副枷鎖，負荷過多責任的人會揹著沉重的背包或行李爬坡。焦慮或疲憊的情緒可能帶來胃部壓迫或大石頭般的感覺。這些症狀通常在睡醒時表露無遺，但是我們只會服用鎮痛劑，然後繼續過活。假如你夢到這些情況，試試和你的症狀對話，問問看它所表達的問題以及它的需求，然後試著處理這些需求；只要坐著緩緩呼吸，進入疼痛或不舒服的部位裡，就有很大的幫助了。

在肉體上發生嚴重的問題時，造夢者可能藉著某些以類似受苦的動物，來舒緩這些已知的打擊（請參考第一章艾瑪

的夢）。透過關懷夢中的動物，你也在潛意識裡連結、並撫慰了自身的折磨。動物是依循本性的造物，安住在自己的身體裡，因此通常在我們的夢中象徵了這種觀點。牠們也可以是疾病復原的象徵。

以下就是一個這種夢的案例。珍，某位敬業的護士，由於筋疲力盡而請假休養。休息了數週後，她開始問自己是不是休息夠了，該不該返回崗位上，此時她作了這個夢：

「我在我的臥房，從床上坐直，我看見兩隻很小的動物在地上玩耍著。牠們長得像松鼠，但不是松鼠，渾身充滿了玩耍的能量。我的小狗加入，開始繞著房間追著牠們跑——有趣極了。」

醒來以後，珍對這夢很高興，她知道這證明她的活力恢復了，是該回去工作的時候了。

假如你的夢讓你警覺到身體的症狀，請立刻尋求醫療的援助。將症狀的情緒、或心理意義認知為某種現實的浪費，是對身體不尊重的態度，甚至可能導致某些更嚴重的問題。

無論你的象徵是物體、人類、關係、情境或症狀，你都可以透過它們的作用而得知。象徵具有一種情緒的向度，你會受到某種魅惑，想要了解更多，感覺到你的夢裡有些人、或有些事更值得深入探討。偶爾我們會在回憶某個夢時就認出其象徵，不過通常要等到記錄在日誌裡，並且去工作這個夢後，象徵內容才會趨於明顯。

假如夢的背景上出現了不相稱的事物，必然引起我們的注意，就像露絲的這個背景是游泳池的夢。她寫道：

「游到一半的時候，我注意到有個深色的物體沉在池底。剛開始時，我猜想那是個瓦片。在寫夢的日誌時，我開始覺得那片『瓦』可能是某種盾狀物。我不知道為什麼它對我有

這麼充沛的能量，但是我很好奇，決定回到夢裡一探究竟。

「我潛到底部，將那片『瓦』撿起來。當我這麼做的時候，就像拔起某個栓塞一樣，游泳池裡的水全部流光了！我看見自己握著既不是瓦、也不是盾牌，而是隻金屬鎖片的護手臂鎧，手掌的部位有道裂痕。這讓我又吃驚又疑惑，旋又離開那個夢境，寫下我的新發現。

「我思索著這個某人『扔掉的護手』（譯註：中世紀的騎士傳統：脫掉一隻護手表示向對方提出決鬥的邀請。）是否表示留給我的某種挑戰：但這感覺似乎又不太對。等到重讀這些紀

錄，才發現其中有些誤解──我所寫的是臂鎧的手掌上有道淚痕（譯註：流淚和撕裂的英文是同一個動詞（tear）。」這次我改用眼淚來看（因為啜泣的關係），感覺就通順了。夢獲得了某種解釋，一切也水落石出，我理解到手套主人之脆弱。我認為它可能顯示了內在剛強的保護者的另一面，我也希望能見見他的這一面，以便多了解他。於是，我又回到夢裡，邀請他和我見面。

「這次我發現自己獨自在一片荒無的地面上，感覺有些害怕。有個怪異的噪音讓我感到不安，我看見一段距離外的某顆石頭開始移動，逐漸變形成一個懾人的日本武士。我看了以後很害怕，那個武士用他的兵刃在他周圍的地面上畫著圓圈。」

「我們似乎用心電感應在溝通，我也了解到這條線是為了避免我被他強大的能量所淹沒。不過我也逐漸了解，這條線也在保護他，同時他開始褪下盔甲和外衣，讓自己顯得很脆弱。我知道他這麼做，是在教導我某些重要的事情──真實的力量和勇氣，唯有來自面對自己的脆弱。此一體會宛如就是這場會面，透過這種方式而得到的所有觀點。在感謝他為我做的這一切後，我就離開這個夢了。」

這個高難度的夢的工作，正是結合了此階段所需的開放與堅持完美實例。露絲對夢裡的某部分產生好奇，但不太理解她的象徵，後來她找到那隻鎖甲護手，卻又進一步對它與背景的衝突備覺疑惑。直至重讀她對第一次重返夢境的紀錄，原本沒有想到的象徵意涵始浮現之。其中「淚痕／裂痕」（tear）的雙關義，導致她將訊息的解釋，連結到力量與脆弱的不可分割性。透過這個工作的完成，露絲更信賴自己對於象徵意義的感覺，以及夢的完整性。

象徵會經歷許多變化。露絲並未刻意引起這些改變，或試圖用任何方法控制這個夢。也許在她將「瓦片」解讀為可能是盾牌（武士這個形象的另一個配件）的時候，她已經直覺到某些即將浮現的事物。當她取走游泳池底的手套時，某些水向元素的、或許是情緒上的阻礙，遂被剔除；她達成某種「拔掉栓塞」的隱喻。

接著她又發現手套的雙重訊息，原本真正的象徵，卻透過「淚痕」讓她認知原本毫未意識的脆弱面。當然，這正是露絲在作夢期間的主要課題。我們有許多人都認為，很難從極度的脆弱進展到真實的勇氣和力量，因為我們會認為這些特質是相對的兩極。醒時的自我也許這麼認為，然而，潛意識心靈的智慧卻不是這樣理解，後者則透過日本武士的訊息而得到證實。

即使象徵指向日本武士的潛在人格，也是從原本的岩石變形而來。這是另一個隱喻，他幫助露絲了解他就像露絲的靠山，而且她可以完全依賴他，特別是看在甘願冒險讓露絲看見毫無遮蔽的份上。她感覺這個會面是不帶威脅、或任何性意味的，並藉著他在周圍地上所創造的「神聖空間」而強調出來。

知道我們擁有在自己周圍創造神聖、保護結界的力量是很有幫助的，尤其是在我們必須走進某些難以設防的處境時！不僅那樣，還有我們可能發現內部的某處，同情心以某種類似的模式宰制了自己的能量和權力，此時，我們看見它讓別人感到害怕。

露絲在夢的工作裡游移於意識與潛意識之間，回到夢境進行練習九，「和夢中角色面對面」（見第四章）。她和日本武士以心電感應溝通，藉以找到更多自己的象徵。以下是另

一項練習，幫助你鞏固重返某個夢所需的信心。

練習十一：迎接你的象徵

你將需要夢的日誌和筆，以及至少40分鐘完全不受干擾的時間。假如你獨自在家，將電話關掉，並且不要去應門。

假如在練習的過程裡，你覺得害怕，記得你可以有所選擇。你還記得露絲的日本武士如何替自己創造一個神聖的結界嗎？你也可以這麼做，只要觀想有一道明亮的白光將你的完全包圍起來，保護你的安全。沒有任何人或事物可以未經你同意就越過你的結界。了解到這可以幫助你和象徵的化身停留在一起。假如你仍不覺得安全，你可以選擇放棄這個練習，什麼都不做只要靜靜坐著，仔細想想看，何者讓你如此畏懼？

＊選擇一個有你想探索的象徵，但不是惡夢；你不需要在夢的工作裡承受不必要的風險，讓自己從一個比較安全的象徵開始練習。

＊仔細閱讀你的夢，花時間去聯想和連結。經由這種方式，你對這個作為象徵文本的夢將得到某些體會。（在展開引你進入超常意識狀態的任何技巧之前，這些都是基本的準備功夫。）

＊用不超過10分鐘的時間在下一個部分，留點時間給日誌的紀錄。時間的界定在這個令人著迷的階段裡是很重要的，因為你可能情不自禁就在後面的觀想階段裡逗留了太久。

＊在這些提示下，選擇某個可以清楚看見象徵的夢中時刻，並且讓夢的情節靜止在這一瞬間，就像按下錄放

影機的「暫停」按鈕一樣。

*讓自己的意識進入夢中，開始感受自己與象徵產生連結。你和象徵之間的距離是讓你感覺舒服的嗎？假如不是，稍微往後或往前移動一點，好讓你將象徵看清楚，而不至於受其能量的魅惑。你已經到達這個階段了，你體驗到任何強烈的感覺、情緒或反應了嗎？

*當你準備好繼續這個練習時，就停留在你所在的位置上，好好地觀察這個象徵。現在它看起來和你所記憶的夢中景象相同嗎？有任何改變嗎？運用你的想像力，沿著象徵外圍走一圈。在夢裡可能只看見它的某個角度，如今你可以一覽無遺。它現在看起來是什麼模樣？

*靠近一點，或者，假如可以這麼做，用手摸一摸你的象徵。它的材質摸起來感覺如何？它是熱或冷、粗糙或光滑、固定或可曲折的？它帶有某種味道、或聲音嗎？如果可以，你願意嚐一嚐嗎？現在，你和象徵近距離接觸的感覺如何？有任何情緒增強、或造成任何改變嗎？也許你什麼都沒感覺到。

*再稍微退回去一點，重新觀察這個象徵。現在你發現了什麼？那會影響你和象徵的關係嗎？將這些話全部告訴你的象徵，讓它了解你起初是如何理解它的，與它面對面後是如何看待它的，而現在感覺又如何？保留時間給象徵去回應，聽聽它要說什麼。問它要透過這種現身的方式，帶給你什麼禮物？感謝象徵送給你的禮物，並且詢問它希望你為它做什麼；假如要求得太多，就告訴象徵，並且請它換成比較簡單的要求。（作為你的內在功課所整合的里程碑，假如你答應了象

徵的某個要求，你就應該盡你所能的完成之。）

＊到了這個練習的最後階段，想像你更接近你的象徵，近到你們簡直合而為一的程度，並進入象徵裡待一會兒工夫。你對於在這個夢中、成為這個象徵有何感觸？嘗試透過象徵物的眼睛來看這個夢及作夢的人。設法找出象徵自身的能量和本質。

＊準備好了之後，回到夢中的你，再看象徵最後一眼。感謝象徵與你同在，並且讓它知道，此刻你有多重視它。看見夢繼續進行到尾聲，正如你原先所記憶的夢。或許因為你所經歷的互動，而讓夢境有了些更動，又或許沒有。

＊讓自己完全回到身體和房間的知覺內，同時保有對你的象徵能量的覺察。透過這個和象徵連結的過程，你學到什麼？你如何將此體認應用在醒時的生活裡？將你所體驗到的一切，盡量完整地寫在你的日誌裡。

在這個練習後，記住，假如你因為與象徵見面，而要對現實生活做什麼改變，你必須考慮到這些改變對你自己和他人的影響。別急著改變任何事情。給自己時間去反省你所學到的，等候接下來的一兩個夢，你幾乎可以肯定它們將是同一個主題，即使在你還沒有處理它們前可能無法確定。你所記的下一個夢將可支持你在心靈上的改變，或者，它們可能顯示你對改變的恐懼或禁忌。有時候，我們都會害怕變化。去接受改變，也許你需要繼續和你的恐懼面工作，你甚至可以重做一次練習，同時將你的恐懼視為此次的象徵！

和「象徵」工作的其他方法

另一種很有創造性的象徵工作方法，就是用素描、彩

繪、雕塑，或再創作它們的其他表現。你不需要是個藝術家，就可以做到！事實上，傳統藝術學院的訓練方式只會讓你受限於「學院派」，因而在這種與夢工作模式裡，箝制了你自發的潛意識流動。

我尚未提及創意的書寫，雖然那是塊很有價值的工作領域，正如本書的第二部分裡所顯示的。不管多有創造性，當我們的重點聚焦在產出可書寫的字句時，就某種程度而言，我們也涉入大腦的活動，往往又太強化意識心智的優越感。露絲是在事後才寫出她的體驗，她沒有透過書寫創造出那些影像和情節，而是完全據實以載，同時延續夢的靈性。我們也可以說她還有一隻腳踩在潛意識，或夢裡。

練習十二：畫出你的象徵

＊嘗試畫出你的象徵，使用短粉筆、蠟筆或色鉛筆，比鋼筆或鉛筆更適合，前者擁有更精緻、更準確的表現型態。我們此處的目的是要畫張大圖，所以假如你用的是蠟筆，記得先撕掉保護紙；這樣你才可以利用蠟筆的長邊畫出很寬的線條。

＊選擇一張很大的紙，並且多準備幾張以免你想多畫幾張。假如你覺得你不知如何重現你的象徵，就從選擇能代表你感受的顏色開始。然後讓你的手和腕自由移動，隨著顏色的線條和形狀填入紙頁，而不帶任何期望或控制。只要讓它流動，記住沒有正確的做法，因此你不可能畫錯。以你的心靈之眼看見這個象徵，在夢的背景上，允許它透過你的筆觸而說話。為它保留驚奇的空間，並且請你內在的批評者或審查員，千萬不要評斷你的藝術嘗試。

＊當你結束時，後退一步審視自己的創作，並仍維持夢的知覺。問自己：這幅圖呈現出你的象徵嗎？你看見了什麼？它能連結到其他夢，或者和醒時的經驗有任何牽連嗎？這個象徵的訊息可能是什麼？花點時間靜靜沉思這些問題，讓其過程自動領你找到方向。

＊有些人覺得用畫的比較自在，有些人則傾向於用陶土來創作立體的形象。還有人可能會從雜誌上剪取人像和插圖，拼貼成他們的象徵。用任何你覺得最舒服的方式開始工作，但不時變換其餘可行的方法，用不同的夢來工作。結果將可能讓你充滿驚喜！

＊不要給任何人看見你繪的圖，尤其不要在你充分消化它們顯露的意義之前。用這種方式連結你的夢和象徵，是深層而精緻的工作，因此別人對它的詮釋或蔑視可能讓你毫無招架之力。即使我們最親近和親愛的人，都可能作出不經意的傷害評論，卻毫不知情、或不了解我們的作品所呈現的內在過程。

＊將這些圖畫，及任何你與夢互動而寫下的作品，保留在某個安全的地方。遲早你將要重新審視它們和同個象徵更趨明朗時的關聯，而且它們也是紀錄你工作進展的絕佳里程碑。

＊開始在夢的日誌最末一頁列出一張象徵表，如果你願意，也可以用單獨一本小冊子。回顧每個你所紀錄的夢，找出你已經發覺的象徵，然後把每個剛剛產生的象徵都加入其中。你可以試驗一下將它們分組，檢查哪類象徵出現得最頻繁，它們彼此之間又有什麼關聯性。每個象徵都是一顆寶石，反映了你最深層的內在，以及潛意識心靈那嘆為觀止的覺察。

第五章的回應

　　和象徵工作可以是很刺激的。它們可以啓發我們，它們的動能將我們提升至某種擴大的覺察感受，或帶我們進入內在的深沉與關懷。你可以回想從你選擇的色彩呈現裡，象徵所引發的心情，而它們也可以將這種情緒基調，帶入你後續工作可能表達的素描或繪畫裡。

　　假如你畫出某個積極的象徵，將它放在或許是你臥房的牆上，抑或假如你不願讓別人看到它，而將它藏在某扇櫃門內，然後每天都看它好幾眼。這可以產生一種漸進的潛移默化效果，提醒你象徵的某種特質，和它對你的私人意義。搭配你能聯想到象徵的顏色，也有助於維持它的能量。

　　保持對象徵的警覺，以及對其寓意的開放。不要太快下結論，認爲你最初解釋的意義就是絕對正確的答案。開始注意那些醒時也存在的象徵符號，從這種新方式裡，享受連結你最深處自我的過程，同時蒐集來自另一個世界，也就是集體潛意識裡的新資訊。

第6章
大夢
與原型

「我在一種漂浮半空的美妙感覺中醒過來，我旋轉著，毫不費力、懶洋洋的迴旋著、打轉著，在陽光的暖流裡。有一種巨大雙翅隨節奏沙沙作響之聲，可能是、也可能不是我製造的，我是如此心滿意足，以至於是不是完全無關緊要。」

「然後我想起來了。我是去拜訪龍，我那美麗的綠龍，也是古老的變形者（Old Shapeshifter）。牠告訴我一個久遠的故事，發生在龍群為了躲避新的光源，而『遁入地穴』的年代裡。牠說牠們如何進入漫長的睡眠，龍群一睡就是幾千年，而且當沉睡之際，落葉飄零，草木新生，大地逐漸堆積而覆蓋牠們。最後大家都遺忘了自己，迷失在極深的夢鄉裡，於是，牠們被遺落在大地裡，成為地景的某個部份，偶然驚鴻一瞥，而且只有那些發現者、神秘者和孩童，那些尚未遺忘如何去看的人，才找得到牠們。」

「我滿腔激動，當我理解到此刻，正是有史以來，牠正載著我飛翔，帶我高高盤旋於腳下的田野、樹林和山丘之上。然後，正如突然之間，牠不見了，只剩下我一個人，獨自旋轉著、攀升著、俯衝著，輕盈而自由。」

「我聽見牠的叫聲，就在我下面，但是我看不見牠。我仔細地搜索下方的地形，看見一條剛才沒注意到的纖細煙束。

似乎是從山腰上的某個黑洞傳來的，然後，在我觀察之際，
洞上方某處的地殼隆起、震動了起來，有對巨大發亮的黃眼
睛向外注視！惡作劇似的、不懷好意的眨眨眼後，牠又不見
了！唯有從某一個鼻孔向外冒的淡淡地煙束痕跡，顯示牠確

實曾在那裡的絲毫徵象。不過這次我可以認出牠沿著山丘頂端的脊狀突刺，牠繞著河流的捲曲尾巴，還有牠那優美的綠色翅膀疊在原野皺摺上的圖案了。」

我又醒過來，這次是真正醒了，從一個夢中之夢裡，且仍保有飛翔的歡愉、變形者玩笑似的趣味，透過牠選擇以真實呈現的生命史。我發現自己竟然懷疑：「難道這隻正在大地裡沉睡的龍，也在牠自己的飛翔之夢裡，夢到與我在我的夢裡相遇？」

你剛才讀到的「大夢」是我多年前夢到的，也是一系列龍夢的部份組成，這些夢總是讓我覺得彷彿獲得某種特許，與某種力量。那時期的我正在努力對抗著殘酷的理想幻滅，尋求我真正的內在自信以及隱含的自我肯定，並且隨著與龍相遇，而發覺更多的自我。

在基督教故事裡，龍是一種「可憎的爬蟲」，不但恐嚇黎民，而且總會死於英雄般的武士手裡。但是我的夢透露了更久遠的意識層面，那個時代的龍是一種智慧的生物，守護著寶藏所在的洞穴入口。而在邁向個別化之路的遙遠旅程上，自性正是要找的寶藏。那裡可怕的龍是為了仔細盤查所有符合進入資格的人們，逐一檢視，嚇走機會主義者、天真的年輕人、愚人，以及還沒有真正意識到自己日復一日生命的「夢遊者」。

卡爾·榮格作過一個詮釋這些潛意識沉積層的夢：

「我在一間我不太熟悉的兩層樓房屋裡，那是『我的房子』。我發現自己正在樓上，那裡用洛可可風格的精緻古物裝潢得像某個沙龍，牆壁上懸掛著許多珍貴的古畫。我不敢相信這居然是我的房子，心想『不賴嘛！』然而當時的狀態是，我完全不清楚樓下是什麼模樣。我順階梯而下，走到一

樓。那裡的一切都更加陳舊，我了解這部份的格局絕對可以追溯到大概15或16世紀。這裡的擺設都是中世紀的風格，紅磚的地板；這裡到處都相當昏暗。我從一個房間走到另一個，心想：『現在我必須好好探索整棟房子。』在這些以外，我還發現一個通往……通往地窖的石階。我又走下去，發現自己置身於某個典雅的拱弧空間，看起來非常久遠。我檢查牆壁，發現在底部的石塊與混合泥磚牆間，還有層層的磚塊。我一看見這些，就知道這個牆可以往上推到羅馬時代。」

「現在我對這棟房屋的興趣更強了。我更靠近查看地面，它是厚石板組成的，我注意到其中有一塊附著金屬環。當我拉環時，石板隨之拉開，我又發現另一條狹窄的石階所組成的樓梯，向下直通深處。還是一樣，我走下去，並且進入另一個岩壁穿鑿的龕室。地上堆著厚厚的塵埃，散亂的骨骼和破碎的陶器則覆蓋於其下，就像某個原始文明的遺跡。我發現兩顆人類的骷髏頭，顯然非常古老，並且殘缺不全。然後，我就醒了。」（摘自《回憶，夢，與反思》）

在說明他對這個夢意義之理解時，榮格是這麼說的：「對我來說意思很明白，那棟房屋代表某種心靈的意象；也就是說，從我當時的意識狀態，到潛意識重疊的部份。

「沙龍所代表的是意識，儘管帶有古典的風格，仍屬於居家的氣氛。第一層樓象徵了潛意識的表層。我越深入，佈景就越疏離、黑暗。在龕室裡，我發現原始文明的遺跡，那是自我內在的原始人類世界——是意識鮮少觸及，或探照得到的領地。原始的人類心靈與動物的靈魂生命比鄰而居，就像史前時代的人類經常佔據動物用過的巢穴為家。」

這個夢提供榮格更進一步研究潛意識的理解基礎，以及

初窺個別心靈下的「集合體」——意味著意識的過往歷史與階段總合——的基礎。隨著更深入的體驗，他理解到這些潛意識的層次，也連結了直覺的形式，即他所稱之的原型。每個原型都是一種隱藏人類行為的基質或藍圖，涵蓋了從我們能力所逮之最高到最低的完整光譜。

也就是這個大夢，導致榮格和與他亦師亦友的佛洛伊德（Sidmund Freud）分道揚鑣，最終並奠定自己的學術地位，成為極負名望的心理學開山鼻祖。因此我們可以說「大夢」就是原型的夢，具有一種以驚奇或恐懼充滿我們的，神秘、重於生命的特質，隨著我們在睡眠中經過重重意識而相遇，其動力是位在我們核心窮究知識與成長的終極智慧源頭，它提醒了我們真實的面貌。這些夢足以改變我們的生命。

我們不需要尋找原型，它們總是不請自來，而其能量不是有轉化，就是有摧毀的效果。夢訴說著潛意識的象徵語言，顯然是極具威力的溝通管道，然而我們也可能在冥想的時候遇見原型的角色——或者透過我們醒時認識的人們，他們可能不自覺扮演了我們的潛在人格或陰影角色。有時候，甚至萍水相逢的人都可能具有真實的原型維度。

134頁圖有助於我們了解，這些非個人的原型能量如何穿透我們，無論是睡夢或清醒時，並且如何能強化我們的經驗。這張圖決不是唯一的解釋，而是闡明某些原型如何游移於心靈之間的範例。它們可能擁有多變的型態，而且根據我們的反應，將我們移動到不同的位置。正如這張圖所包括的原型，無疑也有許多是被遺漏在外的。我們可以有樣學樣地畫一張原型的生物或象徵地圖，而不是本圖所示的人物。我們自己的人格圖也可能混合了這三者。

原型可以和任何攜帶與其雷同的某種能量之象徵、或潛

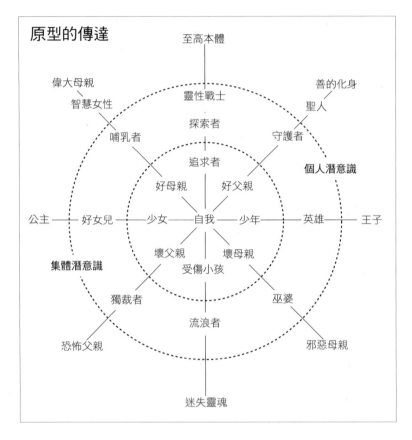

原型的傳達

至高本體

偉大母親　　　　　　　　　　　　善的化身
　智慧女性　　　　靈性戰士　　　　聖人
　　　　　　　　　探索者
　　　哺乳者　　　　　　　守護者
　　　　　　　　追求者　　　　　　個人潛意識
　　　　　好母親　　好父親
公主——好女兒——少女——自我——少年——英雄——王子
　　　　　壞父親　　壞母親
集體潛意識　　　受傷小孩
　　　獨裁者　　　　　　　巫婆
　　　　　　　　　流浪者
恐怖父親　　　　　　　　　　　　　邪惡母親

迷失靈魂

在人格產生共鳴；這使某部份的我們，成為其特定能量驅力的適合載體。於是又匯聚更多能量，透過原型而放大。藉此運作方式，作為「偉大母親」（Great Mother）原型渠道的好母親潛在人格，在夢中的代理人很可能你自己的母親、祖母，或其餘在你的個體生命裡攜帶此種原型經驗的母性角色。在更深的層次，這些能量可能有更象徵性的表達方式，舉例來說：大樹，溫暖乾燥的洞穴，草木茂盛的風景，眾多乳房的哺乳者，處女瑪麗亞或其他陰性神祇，甚至偉大母親本身。反之亦然，當接觸惡母親的原型能量的時候，壞母親

將象徵性地化身為蜘蛛、毒蛇、漩渦、野獸、巫婆、發狂的女人，或令人窒息欲斃的勒殺者。

好父親可能是來自外顯生活的某個人物，如高貴的獅子、國王、智慧老者、供應者、岩石、太陽、上帝或佛陀本身。而一個挑剔、尖酸、冷淡、殘酷的父親或其他近似權威角色，可能以使用利刃、解剖刀或斧器等威脅性的角色現身。又或者他可能顯現為怪物、異類、巨人、食人魔、野豬、鱷魚或蜥蜴，閃電或雷擊──凡此種種都可能是恐怖父親的原型意象。

有位年輕的女性是童年幾乎無止盡的肉體與情緒虐待的倖存者，帶來一個能量強大而不安的夢境，說明了虐待所造成的驚懼及後遺症。

這個很長的夢的開場是去海邊渡假，隨行還有她的朋友和她的小孩。最小的一個小孩，蘇西，在防波堤上的遊樂場走丟了，這個夢的主角到處尋找她。

她找到了蘇西，可是，當她們沿路深入防波堤的盡頭時，突然之間風雨來襲，她們所踩的木造平台被淋得又濕又滑。她回頭，滿臉都是驚慌、恐懼，那座防波堤不是不翼而飛，就是被淹沒在洶湧、深沉的海水裡了。她將蘇西摟在懷抱裡，企圖走回海灘上帳棚所在的方位，但她毫無頭緒、全身發冷又幾乎沒頂，她最擔心的就是她的小孩，她知道無論如何都不能讓小孩受到重創。作夢者又繼續說：

「這時我看見某種黑色的泥濘走道，通往類似鐵製的、可能是防波堤底座的結構物。似乎有人已經在那附近，或在那上面，我必須用跳的以免深陷泥淖。此時，我發現自己足踝已經淹在包圍著毀損鐵架的泥水中。我抱緊蘇西，她將臉埋在我的肩膀裡。」

「我用左手繼續護著她的頭,我抱得很緊、但是很小心,同時爬上鐵梯。那鐵架既老舊又不牢靠,我覺得不是很安全,可是,起碼走這條路就可以擺脫底部惡臭的泥水。我往上走了三階,正好看見有隻腳卡在鐵梯的邊緣。起初我以為是有人失足了,不過赫然發現,那是某個被肢解的女性斷腿!我覺得很噁心,但我依然踩上階梯,並將蘇西抱得更嚴密。接著我又看見一隻斷臂,然後是頭;上面的皮膚都是浮腫、緊繃的,可能是泡水之故,顏色帶點青灰。有個瘦削、虛弱,且神情枯槁的女人,年約20歲,渾身污穢,肩上裹了一條黑色的披巾,從我身旁走過。她對我笑了笑,然後給了

我一個我只能用『召喚』來形容的表情。」

「我轉身跟著她，再次得跨過那些肢解的女體。當我們到階梯底部時，我要求她指點我出路。她告訴我，她已經困在那裡18個月了，而且那裡無路可出。我簡直不敢相信，也這樣告訴她；她回應我說，她並不是一直活在那座毀損鐵架下的空曠處，而是有很長時間都住在某個更暗的所在。她指向一個扭曲的鐵條所構成的漆黑的、地牢似的洞穴，看起來既黑暗又悲慘，唯有『巫婆』或『罪惡』的感覺足以匹配。」

「我覺得那裡一定還有其他出路，可是那女人堅持沒有，並且指著另一些人，他們坐在我剛從海水進入這座鐵架時的原來方向。我看見幾個圍坐的男人，他們看起來彷彿在吃東西，有的人渾身都被海水打溼，其他人則瞪著大海，好像他們正在尋找什麼人或什麼東西。他們都是面容慘白。我特別注意到有個男人簡直肥得離譜，臉色蒼白、表情漠然，而且散發出一種輕慢的氣息。」

「瘦女人說，每天都有人來這裡，然而沒人知道這個地方是哪裡，也不知道自己為何受困於此。這時候我發現幾個又髒又累、神情憔悴，或許是劫後餘生的人，就像和我交談的那個女人。不過，他們竟然是靠著吃被淘汰者的肉而活下來的！」

「我震驚不已，我恨不得立刻帶著蘇西逃離此地，但卻無路可逃！那女人用右手的食指示意我走進那團漆黑如洞穴的廢鐵裡。但我不能，那裡太危險了。我必須保護蘇西，還有我自己。我們都必須逃離這裡，這個女人只讓我聯想到女巫，我一點也不想和她靠得太近；我已經完全……不知該怎麼辦才好了！」

夢就結束在這裡，作夢者留下選擇的難題。她該走進女

巫指的可怕鐵牢裡嗎？或者繼續走上階梯，冒著可能被肢解的風險？試著退回海裡，即使被淹沒似乎也沒那麼悲慘；至少她和蘇西可以死在一起。但是她得先和坐在邊緣的那些傢伙打交道，搞不好他們會搶走蘇西，然後吃掉她！

這個毛骨悚然的原型夢魘，顯然沒有提供任何解決或療傷，更無希望可言。它象徵了曾遭長期凌虐者所感受的絕望與驚恐。夢的背景從防波堤——連結海與陸地的構造——變換至凶險、漆黑、多水的環境，雖然沒有深入地底，卻在日常表層意識下不遠之處，而堤岸上的那些人卻完全沒注意到。這象徵家人未意識到受虐兒童的處境，或潛意識選擇共犯似的否認這回事。

這個夢帶來失落小孩的潛在人格，她象徵了與部份人格的撕裂；這是由於幼童曾遭受殘酷的暴力或創傷而導致的症狀。還有一個為了適應苟且偷生，而被迫承受悲慘、殘缺處境的年輕女人，活在意識與潛意識交界的生命邊緣。作夢者視她為壞女巫，這裡出現「黑暗母親」的原型，透過年輕女性的潛在人格而表達。施虐者是那個臃腫的男人，因為捕食小孩而顯得膨脹，象徵「負面陽性」的原型。我們可能就認定作夢者和小孩就困在這兩種象徵：「恐怖父親」與「邪惡母親」原型之間。

但是那個洞，或地牢，以及肢解人體的背景，卻是有可能使我們提升至完全不同層次的唯一出路。女巫要求作夢著跟著她進入洞穴或地牢內。在原始神話裡，洞穴向來是女性的私處，在墨西哥神話裡「日落盡頭的極西洞穴，是原型裡的死亡子宮，凡出生者必先毀滅。」對阿茲克特原住民來說，洞穴代表了「太古的原鄉，是人類曾經從大地鑽出來的原始門戶。」（這些文字都是引用自艾利希‧諾曼的《偉大母

親》〔Erich Neumann's The Great Mother〕。）而在這個象徵裡，我們找到死和再生的原型，兩者都強調作夢者所在處境的關鍵性。

肢解，與血祭相同，隸屬於另一個原型，偉大母親賜與肥沃、豐收的儀式。在她衍生出另一個農作物女神，「大地之母」的身分之前，原始母親的駭人面貌也被視為洪水，同時也是夜晚和潛意識的象徵。倘若憤怒起來，她甚至會淹沒大地。古老的阿茲克特祭典用活生生的獻祭來崇拜毒蛇女神，這樣她才會庇佑土地欣欣向榮。早期墨西哥和某些埃及傳統也必須奉獻祭品給這個「邪惡母親」，而且經常採取斬首或分屍的形式，才能免除洪水的禍患。在某些文化裡，肢解的屍塊則置於田野任其腐爛，以復甦大地的生育力。

這種血腥、多水的「邪惡母親」面貌，催生了在黑夜出沒的邪惡巨蛇、或龍的神話，牠們必須由英雄予以斬殺；英雄又是另一個原型，如此一來陸地不再氾濫。這裡就是英雄勇闖地底的神話旅程，這是一趟轉變與再生的旅程。有時候，鐮刀狀的新月被視為英雄的武器，日復一日的肢解母親，形成新生命的泉源。我們再度看見了「死亡」與「重生」，以及「偉大母親」的繁殖力等原型。

作夢的人，這位現代的年輕女性，對於這類神話或象徵體系一無所知，然而她的造夢者卻能夠接觸這些深邃而原始的集體潛意識層次，透過夢傳達一個清楚而難忘的景象，勾勒出她的心靈所承受的痛苦深度。沒有人願意選擇被肢解，但，它有時候是進入治療的唯一途徑；拆解古典的心理學概念，推翻本體的知覺，利用這個心靈的「殘骸」來繁衍存在個體的新生。

當然，並非所有「大夢」都是這麼嚴肅的本質。集體潛

意識是所有神祇的原鄉，這裡充斥著聖人和天使，當然也有惡魔，以及種種神話與傳說裡的神奇生物。它是這些故事創造的空間，也是各式各樣創造性的啓發泉源。當我們踏上通往此地的旅程時，我們會回憶起所有曾經出現的那些人，我們開始了解到這不只是一張地圖，而且其他人也必須依循它，探索它的疆域，找到他們必須超越、並且存活下去所需的協助！就某個意義而言，我們於是可以理解我們並不孤單，這裡就是我們莫大的撫慰。

原型的力量

在工作「原型」的能量和意象時，我們必須特別小心：任何對它們最輕微的觸動都綽綽有餘。每個原型都攜帶了純粹的能量驅力，它是如此強大，以至於假如我們太接近，或太直接看著它，都足以震懾我們的感官。因為它是非個人的，對於個體也沒有特殊的關注或敬意；也不同於自我意識，它無法反射自身的存在，它就是存在著。

當我們透過夢、故事，或醒時其餘生命無法涵蓋的人物（larger-than-life figure）遇見原型的時候，總是興起一股強烈的情緒反應，其中一種常見的反應就是心生畏懼（awe），它可能被體驗如可敬畏（awesome）到極畏懼（awful）的程度。

可敬畏	畏懼	極畏懼
（超常之人）	（常人）	（次於常人）

根據這個量表，我們可以發現依照原型的本質不同，而

有靈性上的啟發、或令人不堪的懼怕。它可能強化我們的經驗、深化我們的意識，讓我們感受到謙遜及恩賜，但我們絕對無法參與其中！我們的渺小自我沒有辦法容納這股勢無可擋的能量，而當我們被這股能量所充滿時，無論正面或負面，我們將失去所有觀點的知覺和現實的自我感。

最明顯的例子莫過於看見某些人想挑戰自己的極限，嘗試失敗而摔得滿頭包，或者發現他們只是自欺欺人。我想到最近有個現成的案例，是一個我稱呼為「英國佬」的年輕人，他是替某個知名新加坡銀行工作的交易人。他擁有極大的雄心壯志，而且相當有成就，替銀行帶來巨大的收益，贏得敬重，並博得廣大喝采。他幾乎滿足了所有的權力和控制，加諸他身上是超乎常人的期許，也許因為他已經認同了這種期許。

但在這個明日之星的潛在人格下，潛伏著另一個走極端的投機者。在感受到持續超越他人的龐大壓力之下，他開始作些非法的交易，用銀行的資金冒著愈來愈大的風險，損失數百萬美金，甚至捏造帳冊以掩飾暴增的損失。當虧損高到無法再隱瞞下去時，他東窗事發，銀行也完蛋了。銀行賠上大筆的金錢和信用，許多人丟了工作，甚至投資血本無歸，而英國佬則被關進新加坡的監獄裡。

這個故事有其史詩的成分，乍聽之下則追溯至伊鳩魯斯（Icarus）的希臘神話故事，他的父親，手藝精巧的迪戴魯斯（Daedalus）設計一座供米諾斯國王豢養可怕的半牛半人怪獸（Minotaur）的迷宮。

當英雄賽修斯要殺死怪物時，唯一知道迷宮平面圖的迪戴魯斯，教愛瑞妮亞送給賽修斯一捆線球，好讓他能夠循線找回出路。正因他透露了這個方法，米諾斯王遂將迪戴魯斯

與其子伊鳩魯斯一起監禁在迷宮內。

但是迪戴魯斯是個機智與靈巧的發明家，擁有不僅是「機智者」原型的長才，他用蠟打造成精巧的翅膀，好讓他們能從空中逃離迷宮。他把其中一對給伊鳩魯斯戴上，並且警告他：「千萬不要飛得太高，更別接近太陽。」

這對翅膀賦予伊鳩魯斯飛行的能力，這是一種原型的力量，只因為人類是不會飛的。不過伊鳩魯斯還很年輕，他狂喜地沉醉在突來的自由與飛翔的歡愉裡。他「渾然忘我」，開始相信自己確實超乎常人，他衝得愈來愈高，高到太接近太陽光熱的程度，於是他的翅膀就熔化了。最後他墜落大海，並葬身魚腹。

英國佬顯然結合了「機智者」和「飛翔少年」的元素，在銀行的交易過程裡。「飛翔少年」或「彼得潘」的類型並不適合委以這般重任。他總是充滿冒險氣息，比他自以為的還容易受騙。他可以輕易因為奉承而與機智者結盟。活在這樣一種原型的掌控下，可說毫無是非觀念可言。他既不能認清平凡、腳踏實地的疆界與限制，也看不見自身的人性脆弱面，遲早都會因飛得太高而「翅膀熔化」的。

當那位明日之星違法被捕時，社會將群情激憤，對他處以重刑，彷彿從高空摔了下來。假如他能倖免於這次懲罰，他將擁有覺醒的機會，看清自己的弱點，並且努力成就更高尚的生活目標。然而這些「墜落的男孩」幾乎被判無期徒刑，就算歷劫歸來，他們的人生肯定一蹶不振了。

這是一個現代寓言，但和古老的過去擁有明顯的血緣。只要是原型存在著，無論是伊鳩魯斯或英國佬，人類的行為都沒有太大的差別，不是嗎？也許神祇比我們所理解的還接近呢！

在監牢裡（對於這個都市化和物質化的成人來說，那裡的待遇簡直是夢魘），英國佬得了癌症。他從原型的禁錮，轉變為徹底放棄了主控權，將自己的生命交給新加坡的刑罰體系。即使離開了監牢，他身上仍將背負疾病可能的死刑宣判。這難道不是一個宛如原型「應驗」的悲劇故事嗎？

你可能注意到這些夢和不食人間煙火的神話，都有普遍的犧牲主題。龍獻出了飛行能力，以便隱遁和生存在人類的世界裡。至於榮格的生命，在他了解夢的意義後，他必須放棄他對佛洛伊德的崇拜，為了尋找自己的方向，只好承受必然的理想幻滅。年輕的巫女，童年時代已獻祭給施虐者的淫威，於是寧願在不見天日的破碎堤岸底了此殘生，無法找到回歸正常生活的道路。而迪戴魯斯協助愛瑞妮亞與賽修斯，他必定知悉自己冒著失去自由的風險，卻沒有想到兒子的性命安全也被牽累了。假如伊鳩魯斯使用翅膀之際，能聽從父親的警告，他就不必犧牲。假如所有投資者，可以轉而求證，也許銀行就不會垮台了。

犧牲向來是個很難承認的概念，但與原型相遇，踏上神話的旅程，自我意識必須有所犧牲。一旦我們面對原型，自我意識將無法獨善其身。它需要所有可能的助力，並且可能必須放掉所有私屬的企圖心和人生計畫。這種危機的感覺似乎很恐怖，幾乎像死亡本身；實際上它也是一種「小死」，意識自我必須死亡，才能臣服於至高的「自我」。

當我們停止那些我們所期待目標的生存奮鬥，查覺改變的需求，並放手接納所有變局的到來時，將是莫大的救贖。突然間，一切變得很簡單，我們似乎有了更多時間，更少牽絆，也更無壓力了。以下就是一個到達此種接納境界的作夢者見證。

「我正在獨自行走，越過比鄰大海的沙丘。我撿起一根柺杖，試圖用它在細柔的乾燥沙粒上寫下我的名字，但顯然辦不到。沙的邊緣不斷隨我的字跡而崩坍、模糊。我爬上某座沙丘，大聲吼叫我的名字，但是風與海鷗的啼聲迅速將它吹散、湮滅。我往下走到海岸，我將我的名字誇張地刻在潮濕的沙地上，現在它看得很清楚了！然而頃刻之間，細細的浪潮便將它沖刷殆盡。乾脆放掉那個不可抗拒前的掙扎吧，我躺在海水的邊界，並且耐心等待將來的潮汐……」

原型的情境

我們之中大多數人，在生命的某個時刻，都會遭遇原型力量，而這些力量是我們無法控制的變局。意外、疾病、天災，或戰爭這些，都是影響遍及社會各界的、無差別待遇的破壞力量。原型也在我們集體分享諸如加冕、新生、洗禮、初次領聖餐、結婚或喪禮這類事件中呈現。在每個文化，這些場合都成為人們齊聚一堂認識、榮耀、見證、紀念，或哀悼的儀式。

慶典與儀式形成一種將原型傳達至我們身上的整合面向。這些儀式通常透過神職人員來主持，主祭者或神父成為原型能量的俗世通道，他的靈性訓練讓他得以引領眾人向原型表達敬意與尊崇。這個角色也可能由黃教僧人、巫醫、族長、智慧女性或治療者來完成。目前在許多西方國家裡，傳統的教會似乎失去了生命力，愈來愈多人尋求印度宗師或靈性導師（charismatics）的性靈指引與視野。對薩滿祕教（黃教）再度燃起興趣，某些個體發現對於自身內在智慧的信念與寄託。除了公證婚姻以外，伴侶們還尋求第二種並非由神職人員所加持的神聖婚禮，這種現象也不再特別了，當然

它是有深思熟慮與互相尊重的前提的。

典禮所允諾的，是我們從某個生命階段邁向另一個階段的儀式。它「認證」了某個原型的事件，提供了安全而值得尊重的空間。這類儀式標誌某個初始的門檻，沒有了喪葬的禮拜儀式，悲傷似乎將永無止境，沒有了訂婚典禮，婚姻可能沒有被祝福的感覺。在英格蘭，若統治者去世，新的國王或女王便立刻公告即位，但還需要經過加冕典禮的授權和認可才行。

如果你夢見任何這類處境或場合，那是造夢者正在告訴你，原型出現了，是你該進入新階段的時候，或者你目前的經驗需要某種典禮的承認和見證的時候了。

在夢的工作坊裡，我總是折服於覺察自己已達此一境界人們的智慧。經由工作坊累積他們內在過程裡的能量和醞釀，時機成熟時，他們就創造自己專屬的儀式，直覺地就明白自己需要什麼。團體的成員將邀請彼此見證生命所釋放或收穫的部分，這裡是偉大的治療所在之處。

原型的平衡

我們在本章已經點出某些陰暗的原型。現在讓我們來面對它們所顯現的能量：來點小小的平衡。這些能量都有對立的極端，當我們掙扎於某個負面原型的作用下時候，我們要做的是邀請它的對立面。當然，首先你必須充分理解內在的過程。

我們無法控制或操作原型。就像我說過的，它們就是它們自己。因為原型終極的本質導致超乎個人的屬性，我們不可能輕易地和它們直接連繫，我們的微小自我可能會被它們無限的存在所壓垮，所以我們必須以其人之道還至其人之

身，用勢均力敵但相對立的能量，來平衡原型的能量。有個好方法是，視相同路徑為原型，它們透過符號或合適的潛在人格能量，顯現於我們之前。

因此，舉例來說，假如夢中的小孩導致你處理受傷的內在小孩，你可能就有一種不知如何拯救或安慰他（她）的失落。也許你缺乏一個疼惜自己的理想典範，或者你可能發現，起初，你會感到憤怒，並且否認這個不幸或不安小孩的羞恥和痛苦等包袱，可是你必須採取行動。

你可以做的是，找到自己內在「能夠勝任」的母親角色。她不需要很完美，但要有能力感受同情或溫柔，這樣她才能具同理心體會你「內在小孩」的痛。假如你覺得，她不屬於你，你不妨去找個你現實裡認識的，且擁有這些特質的某人，讓這個人暫時充當你的象徵。有時候一位祖母也很滿足這個角色的需要，在夢裡也好，內在或外在的生命也好；又或許是你所景仰的鄰居或朋友，基於他們呵護小孩的方式。找到適合的角色後，你就可以象徵性的，運用你的想像力，讓這個代理的母親和你的內在小孩在一起，觀察以及學習她安撫小孩的方式。然後，你又可以邀請「偉大母親」、或女神的原型來滋養這兩者。

假如你的小孩在夢中總是孤單、悲傷和無依無靠，別忘了，你的內在也有個「神聖小孩」，他知道如何陪伴他、和他做朋友。也許你的小孩需要一個玩伴的程度不亞於他對母親的渴求，就介紹他和這個神聖小孩相識；這個對他而言生命揮灑著魔力、神奇，或許還有敬畏。現在讓他們成為玩伴，受到「守護天使」（Angel of Companionship）的祝福。相對於每個惡鬼，你可以肯定也有一個天使。假如你發現自己失去平衡，擁有太強的「陽性」能量，就邀請「陰性」的能量

來，但這無關你的性別。假如你被太多負面的「黑暗陰性」所宰制，就召喚「英雄」來救你脫離困境。（對前面的「堤岸」之夢來說，英雄救美的情節決不會比較受歡迎，雖然在你的信念幾乎摧毀殆盡的時候，你可能仍然最需要「靈性的戰士」。）

感覺逼近心靈的死亡時，記得再生是可能的，而且有的時候，與其無謂掙扎還不如投降。畢竟，沒有過去種種的死亡，我們就無法創造復活與新生的心靈空間！

練習十三：喚醒原型

在這個練習裡，我將延用母親／小孩的範例，但是你當然可以將它應用於任何一組潛在人格和原型上。所需的能量類型與性質也相對而改變，所以你將必須先設定於此。我們必須一直專注於我們期望的目標，因此要確定你自己和你的過程是有可靠的基礎，考慮清楚你將要面臨的。這裡的秘訣是平衡，而不是復仇、報應、審判，或自我滿足。

＊了解你將工作的議題，找個安靜的時段來練習。讓你的能量和心態進入到一種警醒而恭敬的思維框架下，預備迎接原型的到來，建議你在開始之前特地營造一個神聖的空間。點根蠟燭，獻給即將參予的潛在人格，再放個對那個你具有象徵意味的東西，當作一個提醒，一個標誌其特質與能量的代表。你也可能想要放一個對你而言具有治療能量，而且可以幫你保持自我中心的符號或護身符。可能是水晶、特殊的寶石、花朵，或其他你所珍視的物件。

＊現在靜坐在你的神聖空間裡，將你的注意力先放在你覺得可能有幫助的某個對象上，開始具體地觀想此人

的模樣，也許在夢的背景，或在某個適合的場所。當你可以清楚見到他們時，邀請他們、並讓他們知道你這裡需要他們的支援。向這個人解釋你的處境——以此處為例就是代理的母親，問問她是否願意看顧你的內在小孩。問問她覺得自己能做到多少，也讓她知道這不是永久的代替，因為你希望能向她學習如何負擔起這個工作。假如她也同意，你就準備進入下個練習階段；假如她覺得幫不上忙，你就需要另尋幫手，並且稍後再繼續這個練習。或許你可以邀請這位合適的新人選進入你的夢裡。

＊假如她願意，現在請她見見你的內在小孩，但請確定她先停留在外界，在你已經遇見你的內在小孩，並向她解釋過這一切之前。我們對小孩也必須報以同樣的尊重，如同我們面對最顯赫的成年人般！

＊現在觀想你的受傷小孩，看見她出現在一個讓她覺得很安全的地方。你將接近她，進入她的空間裡，這個階段先別要求她來你這裡。體貼地問候她，讓她知道，即使你仍守著你的立場，無法如你所願的伸出援手，你還是找到某個幫手來——某個希望能親近她、並照顧她的人。

＊在邀請你的代理母親進入前，先讓你的小孩去適應這個想法，然後退後，讓她們透過第一次的互相試探，逐漸熟悉彼此。觀察以及等待，看看這位代理母親如何親近，並注意你的小孩如何回應這個新的連結。

＊在你覺得他們已經建立親密的關係後，悄悄邀請「偉大母親」或「女神」降臨其間，滋養並支持她們兩人。同樣的，觀察並且等待，看看這是否改變她們之

間關係的任何本質。這時可能有個象徵此種原型的角色出現，並和她們交談，或單純守候著她們。可能有些微妙的能量變化，或者看似沒改變，然而，只管信任你的召喚將被接收與回應，也許並不明顯或直接，但是回應必將發生。

*掌握你的觀想過程的任何風吹草動，感覺時機來臨時，詢問她們是否有需要你的地方。只有你認為真正可行的，才去答應，但記得你的角色在此確實舉足輕重。畢竟，你才是那個持續工作到現在，並讓她們相遇的人。你的潛在人格和你將一同承擔這趟過程所體現的責任與意識。

*感覺這段會面該結束了的時候，向每個與你共度這段的人表達感謝以及道別。然後留點時間待每個意象消失，並且意識到自己回到房間。稍微伸個懶腰，活動筋骨，確定你完全回到自己的身體裡，你可能想先弄杯熱的飲料，趁你坐下來、在日誌裡寫下你的體驗之前，讓自己更回到現實一些。

一但做完這個練習，你就會發現自己愈能隨時想到便接觸到代理母親和內在小孩，愈能看見她們的關係在信任和愛裡茁壯，從中學習獲益。

當然啦，假如你覺得自己能親自呵護你的受傷小孩，那麼你不妨只邀請原型來支援你的這部分，而不需要透過潛在人格來為你傳導能量。

繼續踏上旅程

我們可以要求這些平衡的能量來造訪我們的夢，試著連續三晚確認你的意圖，然後守候個幾天，觀望後續結果。有

時候它們早就出現了，只是你當時認不出來而已，所以夢中可能再次出現似乎很眼熟的某些象徵、人物，或情境，要求你用全新的眼光來看待之。

我們大多夢到自身所屬文化的象徵和原型，但也非總是如此。有位住在倫敦的英國女孩，安娜，在工作「陰影」的原型後決定發展出夢境。她在入睡前問了以下這個問題：「陰影，你希望我怎麼做？在我的清醒、意識生活裡，該怎麼做才能幫助你？你需要或慾望什麼？」當晚她夢到了：

「我們到一個地方，我猜是非洲或印度。反正我們必須沿河流往上游，從比利時的這端到另一端，有個叫做伊斯塔（Ishtar）的地方，那裡有座曾經是激烈戰爭的神廟。

我們幾乎不費什麼力氣就到達『廟剎』（mesquita音譯），雖然我原本以為要花數日。我們獲准進入廟內（我以為可能不行的，因為我們是女人而且穿著可能不甚得體；換句話說，我們穿得太暴露了。）讓我吃驚的是裡面感覺就像座天主教堂一樣，只不過沒有那麼嚴肅，或那麼誇飾。這座教堂既明亮又通風，裡頭的空間比我想的還寬敞。那裡還有一間似八邊或多邊形的廂房，裡頭掛著一張聖母子圖（但並非波堤伽里（1445-1510, Botticelli, Sandro，15世紀義大利佛羅倫斯代表畫家）那種宗教風格），我待在那裡，沉思一會兒，然後我走出來說：『這座廟剎簡直像座天主教堂。』

我們吃了幾片水果——應該會是紅色的，西瓜或木莓，或紅洋梨之類。那個水果的紅顏色是很重要的，直到現在，我們不過就像走在羅斯威爾郡的瑪莉·伊凡斯（Mary Evans，女性主義學者）宅邸外那條路，或許這裡是愛爾蘭當地教堂，我們的有求必應女士（our Lady of Perpetual Succor）。」

「醒了以後，很明顯的，我應該是去禮拜『陰性』神廟，以及瞻仰『聖靈』。也許是回到了童年時代，回到瑪莉的學校，和那種經驗的自由感？但那不算真正自由啊！」

集體潛意識的影響力顯然在這個夢裡工作。安娜從來沒聽說過古亞述巴比倫文明的偉大女神伊斯塔，掌管白晝與夜晚的女神。祂也是金星的化身，因此也是愛情女神，雖然就某方面來說，祂也被稱作戰士的女神。祂的名字迷惑了安娜，於是查過字典，才知道這個夢是描述一趟通往深度陰性的旅程，遠遠超出自身文化背景的熟悉地標、愛爾蘭的母校、天主教堂、比利時等。她跟著河流的陰性象徵，進入了她認為是非洲或印度的地域，拜訪古代文明的神廟，並且開始發掘陰性的另一途徑。這很有趣，因為她邀請的對象，是陰影。

安娜很幸運，在於她的夢告訴她女神的名字，這樣她就能夠更了解祂。我常常遇到人們帶來某個發生於遙遠的國度的夢，他們看見符號或幾何圖案，或者他們明知具有某種意義、感覺也相當古老的城市。然而睡醒之後，他們極少能夠延續下去，他們沒辦法確知所發現的，不論是歷史或地理上的座標。儘管如此，他們仍察覺到某些新的──古老而翻新的──意義湧進他們的意識裡，帶來某個與現階段的過程密切相關的議題。

有時候，在我們最黑暗的時刻，平衡的原型會自動找上門來，且已經完成。它會顯現為具有私人意義的治療象徵，有可能是水晶、天使、樹木、花朵、動物、寧靜的池塘或其他水的意象，可能是小鳥、溫暖的火焰，或摯愛的人，可能有數不盡的變化，依據每個人內在旅程的象徵意象與能量而有不同。它可能有「光的存在」形式，讓我們沐浴在它永恆

照射的愛和慈悲裡，幾乎無窮無盡。這必然是一種轉化性的相遇，偶爾還伴隨透過精神感應接收到的「聲音」，說著關於我們的困境及其指引。

在瀕臨死亡經驗裡，這個光的存在將帶你邁向光明的旅行，有時候還包含你一生的回顧，並且讓你選擇要留下或回去。這些「旅客」回來後判若兩人，靈性充實，擁有新的意識和更強烈的自性覺察。對他們而言，生命的意義再也不同於以往。

在其餘的時間，這種指引可能只像你耳畔低語的微弱聲息，或透過另一個凡人為你帶來某種類似天使的特質，提供不求回報的愛與支援。

試著保持全神貫注在轉化與治療的可能性上，在原型出現之際。即是在它們最恐怖的面貌裡，它們帶來的剝奪與受難的體驗，最終也注定成為珍貴的賜禮。它們強迫我們改變某些我們會覺得無法凝視的部分，促使我們成長而非停滯或自滿。

假如你覺得這種強大的能量讓你窒息，那麼暫時尋求專業的協助，或許是個不錯的主意。有些擅長超個人技巧的人士，或許能夠和你在此基礎上見面，幫助你釐清所發生的意義，或支持你學習接納不可避免的變化。又或許他們將看出「靈性戰士」的需求，協助召喚你內在的這股力量，如此你將可以反抗並克服內在的魔障。此處就是某個這樣的夢；她寫道：

「我睡醒時，指端仍殘留著『大夢』的感受……『我和一群「老朽的年輕人」，在一間又舊又暗的房子裡。我們住在群體之外，藏身在黑暗裡，且隔離生活。我們為求生存，只好這樣活著。這種隔離的狀態是暴力和痛苦的，是故在這些人

之中造成某些崩潰和病變，因為他們努力維持著過去的認識框架，也因為他們努力緊抓著舊有方式的纖細絲線。那裡更黑暗了。

某件事降臨了。另一個世界的人要來把我們揪出去，迫使我們無所遁形，並將我們趕到空地上用火焚燒，用他們的強光威力將我們消滅。

那群老朽的年輕人聚集起來，他們又髒又累卻充滿希望，他們再清楚不過必須隨著鼓聲而旅行，隨著舊有模式的認識，隨著湧現的音樂；他們必須走入更深的樹林裡。像難民一樣，像對這場戰役懷抱希望卻渾身污穢的游擊隊員，他們鑽進一種卡車或蓬車之類的車裡。我也進去了，不過只是去和他們道別的。我渴望走上這條路，追隨他們而去，但是我不能枉顧現實。他們比我年輕，也比我老，所以我必須留下來。

我必須留在頂部的世界，並且隱身於光線裡，如此我才不至於被灼傷。我必須藉著「被看見」而隱藏起來；如此人們就看得見我，但我又不會被看見。這樣的話，我將能保持隱身。我必須找到一種方式，許多人都靠這條線。於是我找到緊握在心底的方式，緊握在我的胃部，在我的野生密林裡，握著老朽年輕人的那條線另一端：夢到自己同時在大地之母的夢裡。前者隨著他們愈發深入，遠離光線，我就必須留在表面握住絲線。許多人就靠它了——於是我跟著他們音樂的節奏，隨著他們走得愈深，我也和他們的音樂脈動，也就是「大地之母」本身的脈動保持接觸著。如此那裡就有留給我們的空間，留給那些聽見祂的回家召喚的人，因此那裡還有門徑、神諭，和傳聲之井。

我還知道他們走了就會很孤單，但說也奇怪，我更知道

他們跟我是不同種族的。他們也知道這點，我們並未掩飾。他們走了，我將繼續面對世界，我已經準備好了。』（仍在這個夢裡）『等到這個夢結束後，我知道我將不再孤單。我必須找到其他願意握住這些帶領我們回到「母親」的絲線者，並不是如此一來我就可以纏著他們。不，不再可能了。而是，我將可以知道，我不需要獨自忍受這股脈動，而它們也不必——這點很重要。而是這樣的話，我們就可以織成一張隱形的紗網，籠罩在我們緊握著線的頂部，然後將我們的呼吸穿透這張網，觸及祂的每個子民。』」

在體驗到這個夢前，作夢者已經和夢工作一段時間了。確實令人敬畏有加，不是嗎？假如你看不懂，別擔心——它不是你的夢，也不是你的過程！雖然，你可以肯定的是，當原型的能量進入你的夢時，它們將會帶來個人的訊息，更帶來超越個人的普遍意義！

第六章的回應

和原型工作提供這種可能性，也常帶來一種擴張的感覺，舊有界線的瓦解，而獲得理解和更透徹的洞察。或許開啟你的一扇心靈之窗，幫助你發現所熟悉事物的全新面向。

我們不能改變原型，但可以回應它們於我們夢中的顯現。假如你察覺到原型的能量在你的生活發揮作用，甚至干擾到你，就利用平衡的練習。透過適當的潛在人格去工作，而不是企圖直接面對原型，永遠記得邀請你的協助和支援。假如你作了個啟發靈性的原型之夢，你可能只想讓它留駐心底，成為某種力量、希望，和修復的源頭。

留點時間去思索引導你的人生道路迄今的力量和事件，察覺你所作的抉擇，以及當命運的力量介入的關鍵時刻。是

什麼啓發你？誰帶來珍貴的賜與？何者是你嚴峻的考驗？你如何應付它？你靠什麼撐過去？你的心爲何歌唱？現在你願意捨棄什麼，你又需要什麼來繼續完成你的旅途？

保留一點時間冥想，並開放給自己想邀請進入生命的能量。歡迎它進來，然後讓它成爲自己，你只需要等待和觀察就好。

第一部分的總檢討

如今是暫時休息的好時機，反省你所學到的，並檢查你的夢的工作進行得如何。

你做過所有的練習不只一遍嗎？每次都用不同的夢來練習嗎？即使很有經驗的工作者，在作這樣的反省的時候，都發現他們比較偏好或過度練習某個技巧，而不惜犧牲其他練習的時間。解決之道是，重複練習你第一次作得不太好的那些練習。這裡可能是抗拒所在之處，而在那之後，則是某份禮物！

花點時間重新回顧本書的第一部分，提醒自己在這部分的夢之旅程裡，所接觸過的練習與實用的建議。就算你覺得自己沒有完成太多進度，也別憂心或認爲自己失敗了，這本書只是個開始，給自己多一點時間，你已經在旅途上了。我們都必須依據自己的步調來工作，而且經由這個檢討，你可能發現你所做的已經遠超過你的想像了。

第二部分　從自己的故事中找到途徑

導言

　　我們現在即將進入另一個工作的階段，給我的感覺是關於原型的前一章已經舖好道路。原型的工作很特別，你無法套用某個結構，只能去「順著你的感覺」到達已經存在的目標。追隨這些「大夢」並且連結它們帶來的資訊，將引領我們通往一個近乎神話般的發展，某個深度開發的故事——你的故事！

　　所有夢都在說同一個故事，關於成長的故事。我們漸漸領悟並且在生活中自我實現，隨著夢的推移，夢中出現各種角色以表現我們的成長。我經常要求學生在開始夢的工作課程時，帶來他們記憶所及的最早夢境。當我們擁有了開啓這些夢的技巧，便常常發現生命過程的種子！我們發現最早那些夢的基本雛形，和最新的面貌並無太大差異。角色和背景容易改變，但是鋪陳的議題和衝突，卻是如此深刻而熟悉，甚至連原型都十分雷同。

　　假如我們繼續「夢遊」虛度生命，這類模式將繼續維持原狀，直到某些事件讓我們「驚醒」——某個病變、意外、失親之痛，或其他重大的失落。不過我們不需坐以待斃、束手無策，面對未知或更多不受歡迎的當頭棒喝。當然這類事件

三不五時就會隨命運的插手而發生；這些都是希臘神話裡的原型角色──命運三女神克若梭、拉克西斯、阿愁芙（Clotho, Lachesis, Atropho）──負責紡紗、編織與剪裁生命之裳的三個老婆婆。我們逃不過她們的宰制，她們的工作就是擺佈我們的命運。然而，假如我們可以決定，睜開雙眼和敞開雙臂迎接她們，也許更能夠接受或披戴她們為我們裁製的衣裳。

連結我們的夢中生命，將有助於我們做好迎接命運的準備，並向我們示範如何安排我們的旅程，我們選擇和誰一起旅行，還有我們該如何反應，或與這些旅伴及我們所置身的處境互動。造夢者會指引我們何者是可依循的路線，傳授讓我們能更真實呈現自己的技巧、工具，和感受。

在前進的道路上，我們開始發現自己確實參與某個活生生的故事，當我們將夢裡和醒時經驗的訊息編織起來，我們就可以理解，將所知解讀為我們對於情節、人物、事件，或宰制與主導生命的焦點。這些都是幻想、神話、傳奇的材料，而我們便置身於其間──我們正是演出者！

我們現在即將從夢工程的道具和技術層次，進入更接近神秘的某種見識，不僅是對我們的夢，更是生命的整體而言。回顧你作的夢，將有助於你去認同你自身的故事，很有可能，是你將發現自己在傳統的故事，特別是童話裡辨認出某些類似點。你小的時候最喜歡的童話是什麼？你所認同的是哪個角色？稍微停留片刻，努力回想這個故事，可以的話，最好靜下來，重新讀它一遍。

思考這個故事，對照你生命裡的經驗。有任何類似之處嗎？假如故事裡的任何脈絡在對內，以及對外的兩個層次上確實不假呢？童話裡的邪惡後母可能是你的父親娶進家門，

讓你感受不到愛的現實繼母，或許是因為她的行為有如此強烈的影響力，所以她才被「原型化」的，不再是刻薄無情或麻木不仁，而是已化為原型的「邪惡」。

許多現代的成功女性有個灰姑娘的內在形象，這令她們感到羞恥，想要隱藏且遺忘於內的。又如同童話裡的國王，他們從來不會保護自己的小孩，如今也有許多缺席的父親。單親媽媽掙扎於工作和家庭責任之間，必須扮演全職的雙親，卻沒有履行公主生命的時間、能量或機會。

那麼王子和英雄又到哪去了呢？古老的故事裡，當邪惡的繼母，就像佔有慾強的壞心媽媽將他們變成青蛙後，他們就變成自己那冷血、無情，而自我失能的拙劣贗品。或者，被象徵負面阿尼瑪斯（男人的內在女性）的雪后染指而「凍僵」了。慶幸的是，時下有更多男性學會不再羞於接觸內在情感：不但「黑暗陰性」日漸式微，也有更多俗世的實務剝掉男人的高貴外表。儘管除了少數人外，物質世界的生存欲望壓倒了超凡的冒險需求。所以（原型的）「野性男人」和「野性女人」，「遊唱詩人」和「吉普賽女郎」表現於何處？他們是否還常在月光下赤裸起舞、在溪流邊發白日夢，或在荒郊野外嬉戲和激情做愛呢？偶爾，或許他們仍在我們的夢裡這麼做！

我們需要這些啓發靈感的夢，來鼓動我們的靈魂。它們提醒我們殘暴或浪漫的天性，以及有時候需要一點點的瘋狂。你已經多久沒有在雨中跳舞，睡在星空下，隨著鹿隻漫步林野，或者笑到掉眼淚？

當我們將夢中的世界和現實生活結合起來，我們就找到了自己故事。所有關於渴望與痛苦，不可思議的時刻及喜樂。那些我們完全經歷過的生命，以及我們仍然等待實現的

生命面向。我們的故事將展示從小時候起就吸引和約束了我們，及至今日仍然宰制著我們的模式。它將顯示我們如何去應付？我們創造或參與創造了什麼？還有我們放棄了哪些部分呢？

講述自己的故事，將是我接下來打算要求你做的功課。你可能認爲這個想法讓人很不安，別擔心，你不需要是作家也可以寫，你不可能寫錯，此外這個經驗絕對讓你獲益良多。你或許想要按照時間鋪陳整段生命故事，從出生到現在。或者你會發現僅僅聚焦於日誌尙未揭露的故事比較容易，在讀這本書的時候。事實上，你在第一部分的工作過程裡已經寫下許多故事，當你寫出你的夢、進行各式各樣的練習，以及沿途紀錄、覺察、感受與理解的時候。

爲了獲得關於夢的新觀點，你已經嘗試以觀察者的模式，像看電影或戲劇的模式觀察夢境。而從那裡進階爲敘述者，或說故事者的模式只需要一小步。拼圖的碎片也將隨著我們連結的故事而拼湊起來，我們開始認知自己擁有強烈渴求實現的感受和需要。我們找到自己的資源，察覺我們實際運用的場合，以及我們的進展。我們可以逐漸認同自己的力量和弱點，去看見我們對人與事的誤判，去寬恕自己和他人，如此一來我們才能往前走下去。

爲了幫助你以這種方式看見你和你的生命，本書的第二部分將由兩位來參加我的課程的工作者，呈現他們所寫的故事。這些人都很普通，也剛接觸創造性的書寫，面對挑戰時，起初也猶豫不決，認爲自己無法勝任。然而當他們坐在夢的日誌前，了解到自己所擁有的豐富素材時，他們就有能力下筆了。在你投身於這項任務之時，故事自然就會泉湧而出，有時候，你甚至不知該何時停筆呢！

第一個故事是由吉姆所寫的（我只有更動他的名字），他是年約50歲中旬的工程師。吉姆以前沒有寫過諸如此類的東西，而且隨著期限逼近，他還因為故事寫不出來而氣餒不已。到了最後，在說故事的那個週末的前一天，吉姆特地請假，去和這個不熟悉的挑戰奮鬥。他先靜坐冥想以澄清思緒，知道了自己不至於急就章，然後開始書寫，結果令他驚奇不已，因為故事彷彿自己找到出口！他告訴我說：「我不認為那是我寫的！喔，當然是我寫的啦！──不過，也可以說不是！」

這是一種相當常見的經驗，因為，當我們可以「跳脫自我的模式」時，如吉姆透過冥想達到的境界，我們的內在智慧和創造活泉就隨著故事題材而湧流不斷，宛如是全面的、直接的出自潛意識的寶庫。吉姆將他的故事命名為「遺產」。

第二個故事「玫瑰和鑰匙」的作者是海倫，她是位近40歲的占星師。她也是剛接觸這種方式的創造書寫，而且如你所讀到她在我們的訓練課程間的體驗，全都成為她的故事來源，你或許納悶她怎麼有時間或精力將它完整寫下來。海倫和吉姆一樣不是作家，也不清楚她有此能力、稟賦或技巧，用如此有創意的方式來連結她私人的故事。這是一個非常美麗、動人的故事，我保證你將欲罷不能。

第7章　吉姆的故事

遺產

遺產

從前有個叫做「睡眠」的黑暗城堡，裡頭住著一個邪惡的皇后和她的繼子。這個男孩是一筆遺產的繼承人，但是皇后不讓他知道遺產的存在；因為她很妒嫉他，想要佔有他的遺產，於是將他關在塔裡，施了個魔咒，讓他沉沉入睡。

某天，一隻鳥降落在男孩的寢室窗台上，牠唱得如此嘹喨，以至於將他自沉睡中吵醒，問道：「是誰呀？」

「賴床鬼、賴床鬼、賴床鬼；」鳥兒啼叫著：「你打算永遠沉睡在後母的魔咒下嗎？」

「走開！」男孩說，並且翻了個身。

「賴床鬼、賴床鬼！」鳥兒再度啼叫，然後就飛走了。

男孩想要繼續睡覺，卻睡不著。好像有什麼東西在房裡，有什麼東西，解除了後母的魔咒，並吸引了他。他坐在床上，看見有一根孤零零的白羽毛。他將它撿起來以後，他看見上面寫著：「你的旅行已經開始了。往東方走，當你需要我的時候，就吹三聲口哨。」

他的後母感覺到咒語被解除了，就到他的寢室裡。仍然昏昏欲睡的他，就讓後母摟在床上，並對他喃喃唸著：「媽咪的寶寶，快快睡呀，你是我的；不要醒來呀，快點睡、

睡、睡。」但是手裡的羽毛彷彿對他高喊：「賴床鬼、賴床鬼！」驚駭莫名之餘，他掙脫她的懷抱，穿過敞開的房門而自由了。

後母的其中一個參謀是法官，目睹他的脫逃，便在背後追趕：「你要去哪裡？」他問。

「東方。」不認識對方的年輕人回應。

「那麼我跟你一起去吧。」法官說。

他們一邊走著，男孩一邊說著自己的故事，法官就斥責他說：「你竟然對這麼仁慈、無私的母親如此忘恩負義！你不覺得可恥嗎？」

他奉勸年輕人，為了挽救他自己（由於他已經無地自容），他必須迎娶他在東邊的城市裡，第一個遇見的女人。這時候，法官已經偷偷派遣信差給皇后，透露他們即將前往的目的地。

東方的陸地是白色的。他遇見披著毛皮、穿著長靴的男人，女人有高聳的顴骨和漠不關心的眼神，教堂裡傳來誇張的歌聲，整座城市和整片領土都迴盪著大鐘的回音。

他在這裡學會聆賞旋律，並且自學長笛。但是沒多久他就認識一個美女，而且由於他的自慚形穢，他向女人求婚，並且迎娶她以彌補他的內疚。可想而知的是他的驚恐，因此女人等到終於和他獨處時，赫然掀開自己的面具，露出她的真面目不是別人，正是他的後母！他立刻陷入一種昏睡的狀態，皇后跳到他的背上，雙手雙腳牢牢挾持著他，「我逮到你了！我逮到你了！你必須夢遊至我要你去的地方，並且永遠揹著我！」

他就像這樣子過了21年，從頭到尾幾乎沒很少醒來過，直到有一天，某個叫聲打斷了他的昏睡，「懶惰鬼、懶惰

鬼！你打算永遠待在後母的魔咒下嗎？」

他彷如神助般，猛然跌在地上滾了半圈，用力甩脫後母的禁錮。他站穩雙腳，吹了三次口哨，小鳥從他頭頂低空掠過，喊著：「往南方！往南方！」於是他帶著長笛，飛奔而去，他的後母則受了傷，被他扔在原地。

如同上次，他在旅途上，又結識了個提供他忠告的旅伴，譴責他待後母的殘酷態度。那位化身旅伴的法官，告訴他為了挽救自己，他必須加入南方城市的貴婦僕役行列。但是他已經派遣信差給皇后，透露他們即將前往的目的地。年輕人留意著法官的忠告，他告訴自己決不再犯上次的錯誤。

南方的陸地是紅色的：他發現橄欖、柑橘、葡萄零零落落生長在赤紅的岩石與土地上。城市的街渠流著河水，反映著宮殿與教堂、橋樑與屋舍的倒影。船伕隨著曼陀林的音樂哼著愛與激情的曲調，於是他也買了樂器，也學會和聲。有鑑於他的自責，年輕人找到了貴婦，在毫無警覺之下，答應提供他的勞務。貴婦讓他穿上制服，等到他扣完最後一顆鈕扣後，立刻認出了女人的真面目；原來又是他的後母。他陷入深深的昏睡，皇后又騎著他，用雙手和單腳挾持著他，「我逮到你了！我逮到你了！你必須夢遊到我要你去的地方，而且永遠揹著我！」

他又這樣子揹著後母7年，直到有一天，他聽見那個叫聲：「懶惰鬼、懶惰鬼！你打算永遠待在後母的魔咒下嗎？」

他大吼了一聲，跳進運河裡，情急之餘，後母只好鬆開雙手以免溺斃。游上河岸後，他吹了三次口哨，「現在要去哪裡？」他問。

「往西方！往西方！」小鳥喊著。

於是男人帶著長笛和曼陀林，飛奔而去；此時他的後母

才掙扎到運河的邊緣呢！

　　他在旅途上遇見一個與他同行的男子，他透露了他的故事，他的旅伴也立即數落起他對待那女人的態度。

　　「萬一她感冒呢？萬一她溺水呢？」

　　不過，如今男人懂得辯駁：「我可沒有選擇讓她騎著耶，我只是做我必須做的罷了。如果是你又會怎麼做？」

　　然而，他仍然覺得有點自我譴責，並且允諾這次將捍衛某個無依無靠寡婦的財產。不過這個偽裝的法官，因爲又是他，先派遣信差給皇后。

　　西方的陸地是綠色的：綠色的青苔、綠色的草地。河裡都是泛著泡沫的綠水，被太陽曬成古銅色的男女騎著駿馬，與黑皮膚的野人戰鬥。他聽見黑膚族人的戰鼓聲，於是討價還價要來一個，也學會了擊鼓的節奏。他旋即發現那位無依無靠的女人，而且不疑有他，開始讀著她給他看的文件。在他的注意力集中之時，女人走到他的背後，然後跳到他背上。他再次陷入昏睡，但是他並沒有太多時間憤恨，也沒有時間張望以尋求脫困。這次又是皇后，用單腳單手掛在他的身上並吼著：「我逮到你了！我逮到你了！你必須夢遊到我要你去的地方，而且永遠揹著我！」

　　他這麼做了一年，然後他想起他的朋友，那隻小鳥，於是他揹著女人，衝向飛馳的馬匹，爲了躲過鐵蹄的踐踏，她只好將他鬆開。他吹了三次口哨，小鳥再度出現。「往北方！往北方！」

　　「沒錯！」他大叫，同時拾起裝著他的鼓、曼陀林和長笛的背包，然後瞥了雙足劇痛的後母一眼，就一溜煙而去了。

　　他又遇到了另外一個人，這個人依舊斥責他對待後母的態度。

「這種論調真是熟悉得很。」他疑惑地望著旅伴說，不過他還是接受規勸，拜訪一個據說可以給他忠告的女人。法官再次送話給皇后。

北方的陸地是黑色的：黑夜從無窮無盡的森林枝椏低落而下，黑色的峭壁矗立在沸騰的灰海上頭，黑色的教堂和禮拜堂籠罩在爲煙霧與工廠的陰影裡面，漆黑反光的人行道，甚至煤灰形成的黑雪。人們都在爭辯，教派、政府、學識都彼此劃分，他們之間都是文字的力量；只有理智、理智，和理智！

他學會雄辯與演說的技巧，由於成績斐然，他贏得了一把劍爲其學習的紀念。在提防之餘，他來到能給他忠告的女人屋外。然而，由於一時疏忽，他又讓女人站到了背後，用單手抓著他。「我逮到你了！我逮到你了！你必須夢遊到我要你去的地方，而且永遠揹著我！」

他只揹了她一天，然後他就聽見內在小鳥的叫聲：「懶人，懶人！你還要在後母的魔咒下待多久？」

「不！」他大吼，非常堅定的扳開後母扼住他咽喉的手。「我要回家了！」他表示，並且簡單地點了個頭，留下他的後母，然後拾起裝著他的鼓、曼陀林和長笛的揹袋，腰間則懸掛那柄寶劍。

他又遇到一個旅伴。「你打算指責我嗎？」他問。

「我？不。我已經替你後母工作太久了。她待我也不好。我覺得我的時間差不多了，我沒辦法再矇蔽你了。我馬上就要死，但是聽我一句忠告吧！而且這回是出於我的眞心，當你再遇到你的後母時，把她的頭砍掉！」

法官很快就累倒了，於是男人陪著他，安慰他，直到他終於闔眼。然後他將法官用落葉埋葬在寧靜的湖畔，又在樹

叢裡栽滿鬱金香的球莖。

　　他抵達那座叫做「睡眠」的黑暗城堡。他一接近，城門隨即打開，他的後母從裡面走出來，「親愛的，我的小孩，來到我的懷裡吧；讓我呵護你，讓我哄你入睡吧！」

　　「不，後母，不是這樣的。你控制我的魔法已經失效了，我已經爭取甦醒了，現在是由我做主了！」

　　皇后的臉孔因憤怒而扭曲著，「甦醒；當然！這就是你要的！好吧那麼，醒啊，醒啊；你不要睡啊。」

　　「後母，你已經無法命令我了！」他說，並且一劍將她的腦袋從肩膀砍下來。

　　漫天的濃霧盤旋著，漸漸的，他又恢復了意識。城堡仍在那裡，可是變得不一樣了：用閃亮的白石砌成，陽光則照耀著尖塔，閃爍在壕溝的水面上。到處都是旛幅與三角旗，有蓋的吊橋上擠滿了成群衣著鮮豔的男女、孩童。而在城堡的最中央處有個金色的圓頂，其中棲著智慧之鳥，城門上銘刻著太陽與月亮，以及此處的名稱：夜與日之城堡。

　　後母所站之處出現一個女性，充滿高貴、莊嚴、智慧，與美貌，用手臂比著城堡說：「這是你該繼承的財產。」

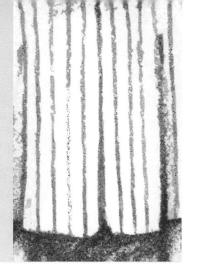

第8章
解讀
吉姆的故事

這是一個如此完整的故事，很難相信它竟然是吉姆初試啼聲的創造性書寫。我們看得出他的工程師特質對於結構的掌握，然而全篇仍貫穿了令人讚嘆的潛意識流動。有些人寫得像篇自傳一樣，但是吉姆選擇用童話類型作為他的媒介。重複敘述的傳統童話策略使得他敘述過程時的自然重複；直到我們愈來愈能意識到自己之前，我們都落入慣性行為模式的相同陷阱裡許多次。但是，只要我們開始「清醒」，就會發現我們越來越少落入這些陷阱裡，而且可以做出更清醒的選擇，同時挽救我們的處境。還記得第三章的那首詩「走出源頭」嗎？

背景

讓我們來看看這個故事是如何出現的，如同處理夢一般觀之，在某種程度上它確實是夢；並且利用本書至今所涵蓋的某些工作概念，首先從背景開始。這個故事的開頭是，「從前有個叫做『睡眠』的黑暗城堡」，透過這些話，場景很嫻熟而象徵的勾勒出吉姆的童年環境。城堡一向是防禦完善的結構，處於擁有層層設防與清楚望遠觀點的地位，不是一個隨意進出的場所。此外，我們還發現它是一個「黑暗」的

城堡，在黑暗裡無法看得很清楚，總是充滿了陰影和隱敝的事物。

　　這座城堡叫做「睡眠」，顯示人們進入其間的狀態。在童話故事裡，睡眠，可以表示某種潛意識的狀態，某種自我感的喪失，如「睡美人」的百年睡眠，而且一不小心就「……熟睡得像死了一樣」。在這種狀態下，健康的自我意識無法獲得發展，因此睡眠者無法做出合適的、甚至任何重要的人生抉擇，沒有絲毫自主性或能量。這是一種不自然的無夢睡眠，是某種發展上的桎梏。吉姆說他被皇后施了魔咒，為了控制他，彷彿受到某種魔力的禁錮。顯然只有皇后是還清醒的、意識到自己是誰的人。這使她對所有居住在城堡範圍內的人，擁有完全的掌控權。

　　這座城堡裡沒有國王，在這樣的故事裡，則表示父親的缺席。吉姆的雙親在他很小就離婚了，在離婚還不像今日這麼頻繁和被接受的年代裡。所以這成為皇后的領地，她完全君臨一切。即使離開了城堡，她的臣民仍須聽從她的號令，所以這些子民必須遠遠逃離她的影響力，正如我們的英雄所做的：因為那就是吉姆藉著說故事而呈現的形象。但在故事一開始，他只是個小男孩，他的自我意識是如此的微弱，因此從來沒有將自己和王子連結起來，然而那是皇后之子必然繼承的地位。有很多故事都是關於王子被奪取了地位，被否定了他們的繼承權，也不認識真正的自己。這些往往都是像「後母」這類的「黑暗陰性」形象在作祟，由於她無能或厭倦於當個適當管教小孩的好媽媽，於是導致這樣的局面。

　　強烈的慾望與期待被加諸國王和皇后的小孩身上。他們被迫與其他小朋友隔離，必須奉行嚴格的行為規範。這種小孩在長大的過程裡，很少接觸到其他鄰居的小孩，就像吉

姆。他們逐漸成長而感覺自己有別於其他小孩，導致了建立同儕關係的障礙，於是他們體驗到孤立、寂寞的情緒。此種傾向常延續至成人的生命。

角色

皇后或繼母，實際上就是吉姆對母親的幼年時代的認知。他有意識的選擇在故事裡稱她為「後母」，藉以表達距離感，讓他可以更清晰地審視她，並且獲得某種書寫上的超脫。這個做法也是由於理解母親的這個黑暗面，並不足代表她的全貌，同時他也不想毀謗母親。也許其中還有部分孩提時代的，內在法官所引發的忠誠或罪惡的殘存感覺。然而，我們都了解童話故事裡的繼母是什麼樣的女人！她也是個皇后，指出這個形象籠罩著吉姆的權力和威嚴，對童年和青少年時期皆然。

拜成年人的後見之明所賜，吉姆可以了解母親有著隱藏的深情與關懷。他憑直覺得知，母親對她的性慾感到害怕。但是身為一個小孩，他只能感受到母親在情緒上的冷漠、疏離、寡情、獨善其身及含蓄壓抑。與此同一時期，她卻也苛求、渴望著，並對兒子有強烈的佔有慾。

有這種行為模式的女人可以解讀為：受到內在陽性或阿尼瑪斯（animus）的控制，而隱藏在那背後的，則是一個飽受驚嚇的內在小孩。這種阿尼瑪斯起初源於她的孩提時代，為了保護母親而發展出來，建構了最終成為監獄的防禦堡壘，也就是本案例的城堡。受到阿尼瑪斯支配的母親的小孩，幾乎感受不到母親的存在。她那陰柔、養育、血濃於水的天性從沒有發展的機會，反而成了佔有慾超強的阿尼瑪斯犧牲品，導致內在陰性仍未分化，處在某種退化的童稚狀

態。就是這個潛意識和貧脊的小孩，偽裝成皇后的模樣，牢牢地綁住吉姆，用自己的恐懼束縛著他。

她顯然也是個強烈批判性的女人，正如輔佐皇后的法官，因此只要吉姆想到反叛或拋棄母親，就會令他充滿內疚的情緒。假如我們與批評朝夕相處，必定也學會評斷他人，無庸置疑的，吉姆在一定程度上亦承襲了母親的生存模式，發展出自己的內在法官。每當他試圖逃離孝順與義務的勸誘時，法官都與他相伴，這位法官也是某種「智多星」，亦為皇后的情報員，剛開始時總是將男孩耍得團團轉。

如此一來，皇后無意識地將自囚的限制模式加諸在她的小孩身上，讓小孩生存在她自己的狹隘界限之內，亦即童話的城堡。於是我們看見，皇后也象徵性地監禁在那座黑暗而死寂的國度裡。也許是母親體內未被認同的受驚內在小孩，覺得吉姆是她離婚後，僅剩可以依靠的對象，因此緊緊黏著他不放，深怕自己落單。她無疑是本故事中的支配角色，從頭到尾更以多種偽裝登場。

隨著夢的工作進展，吉姆一點一滴的透過夢拼湊出他的故事，他與我們分享許多回憶裡的插曲，關於他孩提時代的生活情形。他那理智的成人面具，總是很快落入救贖的評判裡，認同獨立應付的離婚女性，例如自己的母親，人生必定也過得很苦。然而這種排斥理性解釋的關係的感情基調，藉著以下的夢境生動地描繪出來——而它也促成了故事的脈絡：

「我臉朝下趴在床上，有個女人趴在我背上。她的雙手雙腳幾乎完全將我壓住，我極力掙扎，卻無法掙脫。我看不見她——她可能是隱形的！我絕望不已，我對她背誦起主禱文來，但是沒有用。她甚至跟著我背！於是我說：『以上帝之名，滾開吧！』同時使出渾身解數，我就醒來了。」

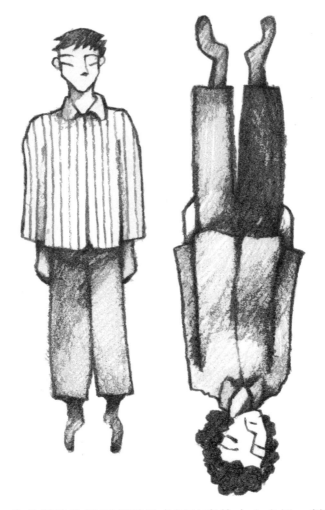

　　此處提及的這個夢賦予吉姆故事的中心主旨，幫助我們
理解故事是如何形成的大概。這個圖像隱喻傳達了直覺認知
的親子關係，後者也因而拖累了長大後的異性關係。吉姆知
道，背上的負擔也是母親的負擔，理由是如以下更早的兩個
夢：

　　「我和母親在寢室裡，隔著床頭櫃，躺在兩張單人床上。
我醒來時嚇一跳，就叫道：『媽——媽咪——媽！』我記得她
之前沒來啊。接著，我又聽見她爬下床，穿著睡袍朝我跑過
來。但是她跑呀跑呀，彷彿永遠靠近不了，但是我也不想她

靠近。我驚慌失措的大喊：『走開！』可是連我自己都聽不見。我動彈不得；突然就嚇醒了。」

現在我們開始挖掘這故事的黑暗部分。簡單的說，就是母親的出現喚起這樣的恐懼。小孩渴望有好媽媽的撫慰，讓他呼喚著母親，然而，他甚至才叫出來，就想到母親並不在。所以吉姆需要安慰時，連一個代理的母親都沒有，這顯然有好長一段時間了。只有「壞媽媽」能回應吉姆的呼喚。

再度透過這個夢和他的感覺接觸，讓吉姆憶起他20年前的一個夢魘，直到今天回溯起來就渾身雞皮疙瘩。他不記得有其他夢曾造成像這個夢般強烈的後果，他還說，這個夢簡直栩栩如生。

他做那個夢的時期的現實背景，正好是去母親的娘家拜訪她。娘家裡發生了某些變動，或許裝修之類的，導致每個人都睡在別人的地方。吉姆就睡在他的母親平常睡的床上。

「我睡在同一張床上。房門突然打開，母親走進來並俯視著我。在那一瞬間我的睡意全消，我感到背脊如遭電擊般直立，並尖叫起來！」

只有我們意識某些直接危及利益的事情，已經到了極其緊急的程度，我們才會陷入像這個夢的夢魘，透過展示我們遭抑制的感受力量，而引發我們對它的關心。

諸如此類的夢也試圖讓我們察覺某些來自過去的駭人動力，再度作用於我們的生命的現實；其威脅的認知依然像從前一樣真實。因為，儘管這個夢發生在吉姆30中旬的年紀，本質上仍是個小孩所作的夢。所以我們可以說，吉姆的內在小孩潛在人格才是夢魘的受害者，理由是成年人不太可能對自己的母親有這種反應。很明顯的，它的影響相當深遠，不然吉姆也不會這麼容易想起來，而且它所引發出來的驚恐的

感受，直到20年後依然存在著！

可是母親並沒有做什麼，她只是俯視著吉姆！對於兩人相依爲命的母親和小男孩而言，這種視兒子如家中唯一男性的態度並不常見，母親對他的期待遠超過普通小孩能滿足的。有時候這種期待更無意識地涉及性的領域。母親可能沒有意識到這點，也可能永遠不曾有任何眞正侵害的意圖，然而敏感的小孩可能從母親的佔有態度捕捉到某些不舒服的痕跡。由於不了解爲何如此，他開始害怕並提防她。

這些夢都是共用寢室的背景，都有個睡在床上的小男孩。因此我們自然想到，這是否與城堡的黑暗面有所關聯。這個後母是否在某種程度上，逾越了和小孩之間的親密界線呢？吉姆沒有他倆之間任何有關「性」的記憶，而且我也不敢想像有這回事，不過肯定有什麼事嚇著他。也許他意識到她未曾實現的潛意識慾望，並爲皇后極其強力控制的人格所籠罩，讓他如此輕易的震懾於母后的威嚇下。

雖然這個惡夢的發生帶來吉姆的困擾，但如我們大多數人，吉姆也不知道該怎麼辦。他那狡慧的造夢者，知道吉姆目前正在參加夢工程課程，至少願意嚴肅對待夢中的訊息了，遂藉此機會帶領吉姆回溯童年的經驗。不但如此，夢更顯示了由於母親的存在而連結的恐懼，導致仍在受苦的內在小孩，正如那些年裡的他。

這種夢的發生，通常因爲內在小孩的敏感觸角，探查到類似的威脅此刻又在蠢蠢欲動了。這些察覺激起舊有的恐懼，此外，這類經驗的持續重複造成小孩無望的感受，彷彿情況從未改善。他覺得自己仍然形同城堡裡的俘虜，必須仰賴身爲皇后的繼母的憐憫。

在吉姆來參加夢的工作坊時，他已經有過不幸的婚姻，

離婚，並且處在一段目前已經結束的長期關係裡。在這些夢發生的時候，他正感覺陷於失敗的婚姻。他和太太的的關係障礙仿如模擬他在城堡裡的生命狀態，那是從他小時候起就深深塑造他的作用。當我們的關係裡充滿父母親留給我們的未解情緒的時候，我們就傾向於找到攜帶與父母相同態度與特質的伴侶，或者潛伏著催化這些行為的隱憂。

故事的象徵

鳥

在吉姆的故事裡，在他的窗台鳴叫，直到喚醒他睡死的狀態的那隻鳥，也解除了魔咒。牠是某個信息的使者，從吉姆急欲治療的內在傳達某種敦促。牠喚醒年輕人對自我的覺察，讓他踏上從母親的羽翼下解放自我所需的追尋歷程。牠是有翅膀的，就像赫米斯或墨丘利，古代希臘神話裡的信差。鳥類通常與精神或更高自我有關，在像這類的脈絡下看見一隻鳥，會讓人抬頭凝望、觀注於截然不同的面向，鼓勵我們採取鳥的觀點來看待某個處境。

吉姆描述這隻鳥幾乎就像隻鵜鶘，牠是隻大而笨拙的鳥，在空氣或水裡都行動自如；似乎可以疏通這兩種元素，它們通常被相對視為理智和感覺的代表。毫無疑問的是，在夢的工作坊期間，吉姆那工程師的心靈起起伏伏好幾回合，同時也將他的象徵和感覺連結起來，並且尋找它們的解釋。

小鳥所遺留的羽毛，是某種護身符，它提示了象徵的訊息，故即使鳥兒飛走後仍在吉姆的意識裡保持鮮活。這些直覺的出現猶如浮光掠影，而且我們常忽略或不信任它們，甚至遺忘。那則訊息是說：「往東方走。」更標示了吉姆回歸

自性以及主張繼承權的此行起點。

四個方位

*東方通常與黎明、希望和青春有關——這個國度是男孩
必須與母親分離而踏上旅行的出發點。

*南方是他第二個拜訪的地方，它與正午、太陽、火
焰、溫暖，和向陽的「陽性」本源有所連結。對於男
孩邁向成長的第二階段而言是個很好的選擇。

*西方屬於日落、秋天，它和中年有關，也可以視為死
亡的國度。或許是那個受到奴役的男孩的「小死」
（little death）？

*北方是寒冷、陰暗的國度。它象徵老年，也以死之領
土而為人所知。這裡我們再度遇見死的主題，成長壯
大後的英雄，逐漸可以支援受驚的小孩，法官所有的
力量與影響也越來越少。

男孩在周而復始的旅途上，遇見各式各樣傳授他新技巧
的人們。他學會旋律、和絃、節奏——各種生存在冰冷的隔絕
中必備的新技術。這些技術都需仰賴與其他演奏者的良好關
係，方能集體參與創造音樂的過程。

但在他所停留的每個地方，他都遇見一個由後母所偽裝
的女人；他的婚姻和另一次重要的關係之所以注定失敗，皆
是因為對母親無可替代的效忠所使然，也是內在法官無時無
刻不提醒他的，在任何新情感關係裡必定縈繞著強烈的內疚
感，後者在某種程度上，感覺就像對皇后的絕對背叛。

寶劍

男孩在最後停駐的地方，學會了說話的技巧。於是，男

孩終於可以表達自己的想法，他的眞心話。他獲得一柄寶劍的回饋，那是權力、保護以及，這裡又出現陽性本源的象徵，傳統上是由英雄的原型所行使的。寶劍可以被視爲意志的主動面，擁有超自然的力量——還記得亞瑟王所執的「石中劍」（Excalibur）嗎？

寶劍的象徵告訴我們，男孩已經長成男人，而且終於可以解脫了；不只是自他的母親，也是自法官的拘束解脫。這是唯一一次，男主角有能力公正的自行作出鑑別，法官也逐漸退出。我記得吉姆對內在法官的死亡，作了一次極莊嚴而感人的冥想。

這種練習，和回溯夢境練習對他而言向來不容易，但這次當吉姆虔敬地安葬法官時，卻明顯見到如此深邃而寧靜的威嚴。他表達了他對法官的感謝，爲了還是受驚小孩時所受的保護，並向對方保證，他找到了更好的方法，而且強壯得可以照顧自己的內在小孩了。我發現，夢的工作者憑直覺就知道需要什麼樣的儀式或紀念，並且能在到結束或新的開始時，爲自己創造里程以榮耀死亡和再生的原型。

有了這個前提後，吉姆就能處理和後母，即皇后的關係。既然阿尼瑪斯驅策的女性在大多數時間裡傾向於靠頭腦在活著，所以用他的寶劍砍掉她的頭就成了再合適不過的做法了。在行使寶劍之前，我們必須有段時間去培養勇氣，因爲除了硬著心腸以外別無他法。唯有如此，皇后的死亡才能帶來轉化的魔術時刻。

在所有最佳的童話故事裡，這其實就是連結失而復得的王位。小男孩從來就是王子，而那非比尋常的遺產，儘管一度否定他的地位，其實始終都是他的。因此看看城堡現在的變化！

轉化

黑夜已經過去，陽光普照，金色的圓頂表示源自太陽、陽性、靈性的根源，為智慧的鳥兒加冕。進入此地的人將看見太陽和月亮的銘刻，意指原型陰性與陽性本源之間的和諧與平衡──因為原本是如此的不平衡。

最後是一位充滿高貴、莊嚴、智慧，與美貌的女性，她恰好是冰冷、陰森的後母的對立面。雖然看起來很怪異，我們仍必須認同，這兩種陰性形象都是吉姆的阿尼瑪斯，即他的內在女性。吉姆承認他接收了部分母親的黑暗性格，這種認同讓他得以前進。現在他可以像個男人般抬頭挺胸，就像原型的英雄及王子，看待陰性力量的正面，那位動人的女性將他努力掙回的遺產，親手交付給他。

好消息是就在課程結束時，吉姆邂逅，並愛上了一個打破既定模式的女人。她與過去吉姆建立過親密關係的女性是如此不同，展現出許多符合這個新的夢中形象的特質。後來他們結婚了，經過許多年後，他們仍然真誠而滿足地奉獻給對方，並且幸福依舊。

我希望吉姆的故事，以及我對於其間動力的詮釋，有助於讀者了解繼續夢的工作可能達到的成效。接下來的故事則非常不同，它提到一個女人的心路歷程，在其中她體現了身為人的無比勇氣與關懷。

第9章 海倫的故事

玫瑰
與鑰匙

玫瑰與鑰匙

很久很久以前，在英格蘭南方靠海的地方住著一對國王和王后，他們生了個小女孩。他們已經有一個兒子，王后想要有一個女兒，所以她很高興女孩的誕生，即使她並未計畫到這麼快又有小孩了。

這個小公主有點難產，以至於她出生的時候又泛青又冰冷的，接生婆將她用一條毛毯裏著，放在嬰兒床裡，並告訴皇后她很快就會暖起來的。第一晚過後，母親就摟著她，哺育她，為她保暖，她希望這個小女孩有天可以成為一個偉大而威嚴的皇后，甚至可以解除籠罩著這個家的詛咒。於是他們將女兒命名為海倫，以紀念另一位偉大卻遭遇悲慘的皇后。不幸的是，哥哥非常妒嫉新生的女嬰。就在她六歲的時候，皇后不再緊抱著她和餵她吃東西。相反的，她讓女孩在自己的搖籃裡抱著奶瓶，讓她獨自吃東西。

纏繞這個家的詛咒，在某些方面更嚴重了，其中一個是對國王和王后受到強烈的渴望所驅使，他們渴求一劑會讓他們消失的魔藥，如此他們將進入一種隱形的狀態。這種魔藥對國王的控制比王后更強烈，喝下這劑藥讓他覺得有力量，給他一種在別的時刻無法擁有的信念。他將拋下城堡，出去

飲酒作樂，和其餘跟他一樣強大的男人們狂歡。這些各擁城堡的國王們，平日就聚在一起彼此競爭、交易、爾虞我詐，不但互不相讓、覬覦疆界，偷偷計算自己的黃金，並且一起將他們的夢想都淹沒在謊話連篇的酒杯底。

有時候國王和王后會一起去喝酒，有時候只有國王去喝酒。不管誰去喝酒，服了那劑藥後，他們就會變得朦朦朧朧、半消失在一團霧裡，孩子們就找不到父母。國王和王后變得如此失落而擔憂，因此他們就會互相爭執，企圖找到走出迷霧的道路。國王會期待皇后來救他脫離霧裡糾纏著他的幽靈與食人鬼，皇后也期待國王來救她脫離同樣的鬼怪，不過兩者皆不可得，於是他們總是以彼此厭惡為句點。過了不久，他們開始期望小孩來拯救他們，在他們的鼻息下低訴和懇求，但孩子們不曉得該怎麼做。他們也迷失於縈繞整個家裡的迷霧裡，和外在的世界切割開來。在這期間，小傢伙們就會匍伏守候著，因為他們知道家裡將維持這種狀態到懇求、或怒氣結束的時候。

國王把自己家裡的女性——他的妻子、女兒——都看成奴婢，不是要取悅他、就是要服務他的。在他出去和其他強大的男人喝酒後，他就變得更安靜、悶悶不樂，和深深的退縮。有時候他暴怒的衝回家裡，在深夜裡毆打王后。那麼小公主就會聽見母親的尖叫聲，而無法入睡。

在這種時候，王后就想要逃離她的牢籠，那座將她監禁的城堡而投奔自由。每天她都會為小傢伙準備滿滿一桌好吃的食物，看著他們成長茁壯，身體健康，且雙頰泛紅。然而她自己卻不肯吃東西，或後來在浴室裡吐掉食物。也許她希望有天可以瘦到從門縫間溜走，並乘著航向非洲的船而逃走，在那裡她可以真正獲得皇后般的對待。但是她永遠沒辦

法瘦到那樣。

年復一年，國王變得愈來愈安靜，他看著自己的小女孩，但從未和她說話。國王看著她成長，喜歡她長成的模樣。他和王后都會凝視著海倫的眼睛，同時也看見隨著她一同降臨這個家的，詛咒。他們因此黯然失色，國王甚至更轉頭不去看她們。王后教育海倫如何當個乖巧的、有禮貌的小女孩，去愛每個人並享受每個人的愛。她也要求家人永遠不要提及家裡的詛咒。

三不五時，年邁、枯槁的外祖母和祖母就會來訪，並偷偷為這個家祈禱。海倫知道她們的祈禱，但也知道她們衰老得幫不上忙。她看見她們走到門邊將自己的眼珠取下，也了解她們無法忍受所見的景象。外祖母長得又高又虛弱，看起來很膽小，她的氣味總是很好聞，海倫知道她年輕時其實是一個落入凡間的天使，正在耐心等待著回到天堂的時刻。她留給海倫一株玫瑰，可是走得太倉卒了，以至於沒能告訴她玫瑰在哪裡。

另一個奶奶個子很小，是胡桃色的，她是屬於定居在山丘下的精靈一族。喀啦！喀啦！的舞弄著鉤針，而且永遠抽著菸草，對孩子們訴說生活的艱難以及家族歷史的巨大傷痛。她有泛黃的手指和嘶啞的嗓音，還有許多精靈的秘密。這位祖母也留給海倫一把鑰匙，可是走得太倉卒了，以至於沒告訴她鑰匙在哪裡。

家裡被迷霧籠罩的時間已經長得超過海倫的記憶：有時候她彷彿住在一個極陰暗的地方，根本不像住在城堡裡。國王會告訴她王后已經瀕臨瘋狂的邊緣，而海倫必須協助她，並且為她堅強起來，母親則是偷偷告訴海倫，都是她的父親企圖將她逼瘋的，而且有時候，她甚至害怕自己清醒的時

候。海倫生活在一個持續施加精神咒語的世界裡，她發現「它們」無所不在，她在字語和感受裡搜尋線索，於是變得愈發擅長於解讀它們真正的含意。

這樣過了許多年後，國王和王后實在太不快樂了，他們覺得無法抱著彼此的傷痛共同生活下去。他們分離後，國王搬去一座靠海的，有很多塔地、巨大地易碎城堡定居，小孩繼續跟著王后。國王再婚了，從此以後，海倫就很少見到他了。他的新太太有兩個自己的小孩，她希望他們繼承國王的財產，所以她將門戶深鎖，和國王的舊家庭保持距離。這個太太非常精明，但也害怕孩子們對國王的影響，因此她用更多魔咒去矇蔽他更多的視線，允諾提供他舒適和溫暖，給予他安全的懷抱。她趕走所有接近國王的人，甚至他的神仙教母——她只會帶來老舊、殘缺和死亡的感受。他們所住的那座城堡擁有自己的魔藥宮殿，因此國王現在整天都在那裡猛灌金色的飲料，並且澆熄自己的罪惡感。

海倫的兩個奶奶死後，沒有人再提到她們。對海倫而言她們成為遙遠的記憶，她的母親希望她遠離死亡的傷痛，不讓她去參加葬禮。在海倫眼裡似乎沒有死亡，或真正的哀傷容身之處，它被永遠深藏在地底下，和鑰匙與玫瑰一起埋藏在雲霧籠罩的極度黑暗空間，哪怕近在咫尺，但是海倫從未找到它們正確的所在地。

海倫長大成為女人時，她的母親不再希望她待在家裡。王后憑魅力吸引許多情人回家，她不希望有競爭對手，觀察母后，讓海倫體會到性的吸引力。她能了解它所具有的宰制力量。

海倫急著離家，但是，既然身邊沒有王子的出現，她只好獨自踏上旅途，即使還不清楚她該往哪裡去，或何處是目

的地。然而，她也害怕她必須在悲傷中度過部份的生命。她試著將這種想法逐出腦海，當她敞開門迎接涼爽、清新空氣的問候的時候。在海倫要離開之際，王后送給她一套紫衣與舞鞋，於是她便穿上它們。

海倫離開家後，度過許多冒險。她發現自身強大的性魅力。她和大千世界上的許多人跳舞、歡笑、戀愛，但若她維持太久，他們將使她陷入困惑和糾紛裡，她就必須接觸到那個極度黑暗的、她想要遠遠逃離的空間。那裡是如此的狹小，彷彿可以容納進她的手掌裡，但是那裡的力量一經釋放，將足以摧毀她，而且她深知有人有能力釋放這種力量——要是她讓那些人走得太近且停留得太久的話。

所以海倫會愛上他們，親吻他們，深深凝望他們的雙眸，她也讓對方凝望她的眼睛，和她同床共枕。她的裙底、腳踝邊和髮際藏著毒蛇、鴿子和珠寶，她讓情人們撫摸和欣賞這些珍貴的東西。王后將她教得很出色，在短暫的邂逅裡，她和情人們都將彼此開啓死亡與激情，然而，由於恐懼被愛征服而導致失控，她總是用絲線般的承諾繫住她的情人，並在他們的胸膛上繪著彩虹。她總是讓對方帶著迷惑與破碎的心離去，穿上紫衣與舞鞋繼續翩翩起舞。受傷的人們啊！男人們總是抱怨世上一切不如意的事情；他們是因爲她父王的背叛才犧牲的嗎？

有一段時間，海倫在服務一群不知道她是公主的小孩，聆聽他們，協助他們，並學習如何遊戲。她有隻狗陪伴著她，她在自己的國度上起舞，然後到野外，渡過溪流，住在魔法的疆域，自然的疆域裡；甚至在山上，在瘋狂而散發藝術氣質的城市裡。她學習星辰的語言，這是種啓發她的智慧與心靈的神奇古老語言；她讀遍行星運行的智慧典籍，學習

繪製占星盤，於是她逐漸理解了內心、理智，與靈魂的滴答響聲。

漸漸地，她的角色改變了。有天她意識到身體裡孕育著一個嬰兒，她馬上就要當媽媽了。孩子的父親，是個令她興奮卻恐懼的男人，搬來與她同居，兩人並且共組家庭。第一個女兒的降生，帶來一個轉變！海倫驚訝於她自然而然勝任這個角色的作風，她搖籃、哺乳、背負，以及知悉嬰兒所需的態度。她感覺她已經很了解這個小孩了，就好像他們已經彼此認識超過一千年了。

海倫和女兒之間有一種印象裡從未體驗過的熱愛程度，是一種祝福，也是她的想像所不能及的意識。生產後，她整晚抱著寶寶，隔日仍陶醉於她的身體所散發的美。但這時候，有個醫生過來告訴她，嬰兒非常虛弱，必須帶去給一位高明的老醫生看是否能夠治療。人們從她身邊帶走她的寶寶，留下她的傷痛、迷惘，和祈禱。孩子的父親陪伴著女嬰備受折磨的身體，讓醫生為她換血，將她放入一個清潔、溫暖、乾燥和通風的空間以去除她的黃疸。後來，海倫從醫院回到家裡，她只覺得自己像被剝光、侵害了，她震驚不已。

雖然隔了幾年，又與男人生了一個女兒，他們的關係仍然悲慘難解，帶來許多的淚水、憤怒與傷害。男人的痛苦和憤怒，對海倫而言太巨大了，也許這樣悲慘地觸動了她自己無力負荷的痛苦。到最後，她將男人逐出了她的家，和她的生活。

這時候，她回到自己的國度。她的父親老國王病得很重，而且不能再活動或說話了。海倫有家，有兩個小孩，和自己的回憶：儘管她曾經疏於彰顯那份從小就陪伴著她的暗黑力量。她的紫衣和舞鞋都丟了，珠寶在足下蒙塵，毒蛇流

竄於黑暗裡，而鴿子早已飛到樹梢上了。

　　由於海倫的疏忽，魔咒竟然從黑暗裡悄悄溜出來，將她
變成一隻受驚、膽怯的兔子。她的家變成陰暗蒙塵的窩巢，
成為晝夜交界之地，儘管她仍在這裡全心全意地愛著女兒。
她給女兒擁抱、果腹、穿著，卻匍伏逃離陽光，只許讓別的
女人靠近。她需要休息，在那些陰鬱的歲月裡，只有兔子的
巢穴是安全的。她覺得她如此嚴重的失落，並且如此傷痛的

逼近黑暗的所在地。

　　她愈來愈常待在家裡，害怕她那毛茸茸的身軀會被看見、被詛咒。她明白假如別人太靠近地凝視她的眼睛，就會看見那裡住著一隻受驚的兔子，然後，或許他們就會從她身邊，奪走她唯一的愛，唯一的生命意義。她更安靜、更沉默了，她退縮回洞穴的更深處，偶爾看看她的占星書，但是陰鬱之氣使她無法獲取任何給自己或別人的智慧、或撫慰。

　　雖然如此，經過很長一段時間後，她再也藏不住了。海倫的恐懼和偏執讓她無法入睡。它們害她心跳得更快，以至於她以為自己就要死了。有人告訴她某個女人可能願意聆聽她，她或許有一把鑰匙；她決定去見見對方。這個女人聽了後，便拿出一把鑰匙給海倫，魔咒就解除了！她不再是隻兔子，而恢復成一個女人。她花了很長的工夫才掙脫兔毛、尾巴、和長耳朵，而且很痛苦。皮毛深深地穿透和撕扯她的肌膚，留下好一陣子才恢復的傷疤與紋路，但她知道自己療癒了。有那麼一段時間，海倫甚至必須赤裸著出去──沒有紫衣或舞鞋。她想念它們、哀悼它們，並且夢到它們。

　　接下來幾年裡，許多新的人們進入海倫的生命，她重新對小孩以外的人們敞開心扉。她感覺更擴張、更輕盈了。她用鑰匙打開了許多門，包括黑暗和光明的門。她學會接受生命的混亂，她永遠不知道自己所開啓的門，是藏著痛苦或歡樂，然而她知道，她正開啓生命之門，開啓愛的機會之門。

　　海倫鑽出她們生活已久的窩巢，造了窗戶讓光線進入。她粉刷那裡以便看清楚黑暗的角落，毒蛇爬了回來；她蓋了鴿籠，掃除灰塵並尋獲珠寶。她的小孩在花園裡種了玫瑰，不過她仍然赤身裸體，到了冬天就得受凍。

有天她在玫瑰間找到一顆從天際掉落的星星，被勾在花園裡其中一株玫瑰的尖刺上。她摸到有東西，便將星星撿起來，突然想到同樣的星星曾出現在她的夢裡，它是來告訴她什麼訊息的。星星是來自天上，那裡是編織夢的空間，也是她研究的星星居住的國度。它是由海倫已知及未知的夢的金線縫成的，裡頭藏著她的秘密、期待、慾望，和恐懼。她感覺這顆星星將為她帶來指引，於是她等待著。

　　某一天，有個看見她抱著星星的人向她提起另一個可以助她解開生命之線，以及編織夢的星星的女人。海倫此時明白這就是她的道路，即為自己與別人編織夢的星星。她找到那女人，並敞開心門向她請益。這個夢的女人交還海倫的紫衣和舞鞋，它們補綴了些刺繡，因此甚至比以前更漂亮，穿起來再適合不過了。它們原來都好好的藏著等她再來穿，海倫開始起舞，並向別人傳授星星的教誨。

　　和那個夢的女人在一起，海倫發現更多她身上的創傷，以及在她仍是小女孩的時候，由於輕忽的對待所造成的疤痕。她學會用花園裡的玫瑰製作解藥，撫慰她的傷口與疤痕的方法。更多星星從天而降，鉤在花園裡的玫瑰刺上。海倫細心地解救它們，並裝在她床邊的一個盒子裡；直到星子們療癒，可以讓她再編織起來為止。當她解開星星與尖刺的糾纏時，她通常被那些以玫瑰花叢根部為家的小鬼或遊魂嚇了一跳。一旦她釋放了那些星星，鬼魂就會用尖叫、哀嚎來嚇唬她，它們最常用響亮和刺耳的叫聲與哀嚎，在童年的迷霧裡恐嚇她。然而，只要她搖晃著灌木叢，它們就會倉卒潰散，逃離她的花園，它們細小的腿臂和瘦削的裸體將隨著日光的照射而消失無蹤。海倫在玫瑰間種了更多花，她知道它們需要一段時間長大，不過她想，這些嬌弱的野花在玫瑰刺

的保護下，將為她的花園增添色彩。

　　現在海倫和她的王子在一起，他是從遠方來尋找她的，因為海倫夜裡都在她的夢裡呼喚他。她在王子居住的森林裡留下聲音與幾束頭髮，指引他來到她身邊。王子帶著一柄魔法的劍和黃金的盾來保護她，他打敗了許多跟著他的怪獸，腰帶裡還有一劑讓她想起孩提時代的魔藥。

　　王子也帶來了自己的鬼魂，其中有一隻會坐在他的肩膀上，不時糾纏著他去服用他的魔藥，更不知何時他會抵擋不住。他會喝了酒，再讓潛意識充滿整個家，帶來迷霧和鬼怪，低訴和哀嚎。海倫也無法置身事外，彷彿溺水，並且再度失去她的自我。她會將自己裹在黑披風裡，並在她的頭髮上抹著泥巴。盤據他肩上的鬼魂也可能跳到海倫的肩上，混合了她自己的猜疑和恐懼。就在她以為自己將不復存在的時候，她那爽朗的情人又回來了，他如此甜膩的疼愛她，依賴著她，守候著她，讓她遺忘了瘋狂的時刻，直到下次再發生為止。

　　海倫現在知道原來魔咒還沒有解除，雖然她有了玫瑰和鑰匙，她仍然需要學習更善用它們，也許等到時機成熟時，她就必須將它們傳授給她的孩子們。

　　海倫現在懷了她的第三個小孩，他那不確定的心裡似乎藏著若不是一個女人所曾經驗至深的喜悅，就是莫大的心碎。她知道我們沒有能力控制，我們的命運本來就如此。她的未來並不確定，而且她很害怕，她所能努力的是讓自己保持開放，她明白她的嬰兒需要她的愛，無論他的生命有多長或多短。她必須做好準備以踏進她的內心和靈魂的瘋狂；某種不幸的瘋狂，她知道之後有一部分將永遠不再回來了。

　　海倫能做的只有記得緊握對方、保持親近，以及注視那

些可以指引與支持她之人的正向所在。儘管她孤立無援，她知道她也和旁人分享她的哀傷，有些是她認識的人，另一些則是她素未謀面的人——因為哀傷是普世皆然的。

　　有時候海倫也會震驚於那百萬顆破碎的心，及渺小的心靈所能承受的哀傷重量。她想要凝視每個失去骨肉的母親的雙眸，擁抱纏繞她們靈魂的死去嬰兒。她將為那個分享她的身體、深觸她的靈魂以及考驗她的信仰的，尚未出生的孩子祈禱。

第10章
解讀
海倫的故事

在寫下她的故事的時候，海倫也寫了一篇祈禱文，採取寫給腹中胎兒一封信的形式。她在故事結束之際和夢的工作團體分享這篇祈禱文，過程相當感人，是一次讓已獲支持的團體更緊密的強烈情感體驗。海倫的胎兒尚在子宮內時即診斷出心臟有問題，我們都體會到她的懷孕所促成的焦慮。以下是她分享起初期待這個嬰兒時所作的夢：

破蛋之夢

「我注視著某個櫥櫃，它是木頭做的。櫃門已經打開，層架上堆著幾百個棕色的蛋，在光線裡散發某種溫暖的灼熱……我俯視著屬於我的籃子，這是個柳條織成的提籃。籃裡有三顆蛋，其中有一顆已岌岌可危，好像它被摔過似的，因此上面有一圈細細的裂紋。那是一種全心接納的感受。」

海倫繼續說：「作這個夢是我在懷了兒子的時候，就是在最早那幾天，那時我們還不確定他的心臟情況有多嚴重。蛋殼上那道裂紋就像心臟的形狀，與其說它是裂痕，還不如說是輕微的壓擠。」

這個夢意思很明顯，而且彷彿是個預兆。海倫的小男嬰

出生後，他們告訴雙親說這個小嬰兒需要複雜的心臟手術才能存活。開刀的決定反覆延後了許多次，好讓嬰兒有機會長得更強壯些。等到他兩歲大的時候，醫生認為他已經發育夠強壯、夠成熟了，於是敲定了開刀的日期。

不幸的是小男孩死於手術中，對於他的雙親來說，這簡直是晴天霹靂，他們帶他走進醫院時還是個健康、活潑的小孩，如今卻獨自回家。一個小孩的夭折實在太可怕了，我們的心都因海倫的家庭而黯然失色。

我與海倫的大多數團體成員一起參加了嬰孩的葬禮，我們全都打起精神去面對那令人心碎的、正式道別的傷痛，以及它對我們的好友造成的影響。海倫令人肅然起敬，她設計了一個溫柔地紀念這個嬰兒的生命與死亡的典雅儀式。

海倫勇敢地發言，她要求我們回憶這個快樂的小孩，以及不幸的小孩。她回憶她的小男孩惡作劇的事蹟，我們分享著彼此不約而同的、笑中帶淚的片刻。海倫的舉止極富尊嚴、沉著，和憐憫，她表現出一種鼓舞我們大家的高貴靈性，宛如一位偉大的皇后站在我們眼前。

這個故事沒有童話的結局，而是神話般的預言和惡兆、命運和悲劇的循環。我們必須記得，它還是個發生於現代的故事，不像童話故事，人生必須繼續下去，而且不可能都是「幸福到永遠」。然而，即使在最黑暗的時刻，海倫散發出來的靈性仍然閃耀著，我們可以看到她將繼續走下去，毫無疑問的。

故事的意義

為了更了解這個故事，和幫助你看見海倫如何形成這個故事，我現在要帶你回到起點。對於小公主而言，她出生後

的第一夜是和母親分離開的。由於和母親的應有連結無法形成，這樣的小孩可能體驗到壓倒性的孤絕、和遺棄感受。對某些人來說，這種關係從未形成，因此他們的關係裡將缺乏親密感。有些人在潛意識上疏遠與任何人的親密關係，總是處在外圍，很慢才信賴或進入脈絡。海倫與母親的分離，基於手足的競爭而更惡化，他們的母親顯然沒能及時處理好。所以小女孩對於母愛、觸摸，和情感的本能需求，就不能付之實現。

海倫的命名

　　早在父母決定要將她命名為「海倫」的時候，就出現了感情疏離、異化和孤獨的主題。替一個孩子取名字絕對是個有意義的行為，用文字賦予其來源所傳達的形象，以及他們對於小孩將成為的期望。這樣的期望可以沉重地壓著孩童，即使它從未說出口。孩童與母親的早期連結是如此細緻的調節，乃至於我們相信，嬰兒可以「感應到」母親的潛意識想像內容，共生似的接收到她的訊息，即使那些意圖僅僅形成於母親的腦海裡。

　　海倫的宿命一方面在她被命名為「海倫」的時候就透露無疑，這個名字闡明了她的任務——她被指望成為偉大而有權勢的人，如此方能粉碎這個家的詛咒；她母親所無法達到的。但是她的同名人物，特洛伊城的海倫，有著如同悲劇的殘缺命運。還有比這個更不幸的期望嗎？權勢是可以喊價的嗎？有什麼為了成就偉大而遲早可以犧牲的事物？這裡出現某種神話般定的暗示，名字本身幾乎就成為詛咒了；海倫自己所背負的獨特詛咒，這個必須解除家族詛咒的責任，甚至足以纏繞世代後裔。

魔藥與詛咒

酗酒是一個摧毀家庭的詛咒,其席捲世界的長久超過我們記憶所能及。這些家庭裡長大的小孩,必須努力將他們的生命奠基在流沙上,失去安全感。父母沒喝酒時所讚揚的行為,在他們喝醉之後可能受到責備。孩子們不知道最好該怎麼做,才能保持安全以及相對不被傷害。他們的天性持續遭受否定,沒有恆常可資學習的經驗,此外,他們很可能遇到無法做出決定,或適應不預期改變的嚴重障礙,會認為所有這些改變都是具有威脅性的。因為生活在不協調的界線之中,這些小孩發現要信任自己是非常困難的事,更不用說其他人了。

他們也體驗到在父母處在「消失」與迷失在酒癮的迷霧裡時,那種痛苦和害怕的遺棄感受。他們一遍又一遍體驗孤兒的感受,成為不負責的擅離職守父親或母親「陰影」酒後奇想的抵押品。這就是海倫的鬼魂起源——它們是不具實體的,沒有是非觀念或合理解釋的,蠱惑了小孩,更蠱惑了父母親。

這些鬼魂帶來無人得見的自責與羞愧感,造就了另一項詛咒:秘密。我們看見王后向孩子們示範這項技藝;只要我們介入了他人黑暗的密謀,我們就不自覺的將他們的自責,或羞愧全部攬在自己身上。透過一連串滋長成癮與背叛幼童真實本能的欺騙與否定,將鬼鬼祟祟的污染滲透了整個家。

保守秘密的需要導致孤立。很少兒童放學後願意邀請別人來這個「鬼魂」充斥的家中玩耍,父母又迷失在自己的一團霧裡;此外,酗酒家庭的父母向來不歡迎訪客。對抗酒癮的外界助力幾乎不得其門而入,小孩不能說出真心話,於是這形成一種自我延續的強化模式。黑暗的秘密繼續保持良好

的偽裝，孩子們也在其間承受著一種沒有人得以覺察的恐怖與混亂狀態。

在讀海倫的故事時，我很感動她竟能寫出這麼痛苦的童年回憶，卻未提及半句她身為兒童的感受。我們知道部分母親的感受，她的自我憎恨與絕望，但若拿她的故事來作第三章的「為你的功能上色」練習，你會發現出現極少表達感覺的顏色。

海倫傳達出一種在這種情境裡如何生存的強烈知覺，而不曾詳述她的情感。當我跟她提到這點時，我們都同意它顯示了這些強烈的幼年訊息是何等根深蒂固。我們會去認識它們，但，那並不表示我們能夠克服它們；那可以耗上一輩子，甚至幾輩子的時間來達成。

奶奶

兩位奶奶是我們僅知的訪客，同時她們自己也是家族裡的受詛者，所以她們一踏進屋裡就必須取下眼珠，畢竟她們可能見到的威脅太劇烈了。然而她們是多麼精采的人物！她們之間存在著某種平衡，介於天使的靈魂和地面的妖精，玫瑰花的芳香和嗆鼻的菸草氣息之間；一個等著回天堂，另一個和土地連結得如此牢固。

在童話故事裡，奶奶通常扮演神仙教母（fairy good-mother，充當臨死孩童教母或保護人的仙女）的角色。她們帶著禮物而來，在本個案裡是玫瑰與鑰匙，但是這裡又出現另一個悲劇，她們還來不及將禮物送給海倫就去世了。我們有多常來不及對親近的人說出我們必須說的話，來不及給出我們想贈送的智慧和引導，只因為怕冒犯對方？我們有多常臨陣退縮，怕難為情而舌頭打結，卻未能表達我們最深層的

感受？生命如此短暫，而且沒有重來的機會。我們沒有人知道自己何時死去，假如可以的話，現在就說出來吧；別等到想說時已經來不及了。

象徵

玫瑰

兩位奶奶要給海倫的禮物是玫瑰和鑰匙。海倫的外祖母總是散發玫瑰的花香，那是她最愛的香水。這是海倫認同玫瑰花為其象徵的由來，海倫也好幾次夢到自己的小女兒，為她命名為玫瑰，以紀念那位玫瑰花香的外祖母。這些夢都是在小女兒三歲大時發生的，這是自我發展的最佳時機，是幼兒開始區分自我的起點與父母的界線的時候。藉由重覆刺激海倫關注於玫瑰此時的生命階段，她的夢其實引導她去更接近內在的那個「小玫瑰」女孩。

玫瑰的普遍聯想是浪漫的愛情、紅心、法國詩人的傳統，以及那種溫柔和真摯的情感。在這個故事的後半部，她學會栽種和養育自己的玫瑰花，她的小孩也會了。這代表，趁著眼前，且透過努力的工作，她自己體會了外祖母來不及告訴她的真理，並且傳授給她的女兒。

鑰匙

鑰匙擁有更豐富的直接功用。包括了鎖上與開鎖——對海倫而言，充滿希望的標誌。我印象深刻的是這個祖母願意談論自己與家族的痛處這個事實，這不就是鑰匙的部分意義嗎？這鑰匙——藉由說出秘密——會是脫離困境，解開家族詛咒的牢籠的「關鍵」嗎？鑰匙可能是個體化過程的樞紐，降

臨，並作用於青春期，這是自我發展的時期，也是從女孩轉變爲女人的過渡時期。

店裡的男人

「我是經營某間商店的男人，也是我『自己』。我們正在放假中。我的丈夫可以從某個制高點看見一座城堡，我確信我從前住在那裡，但那是段模糊的回憶。」

「店裡有個兇手。反正最後他死掉了。男人正用紙筆紀錄發生的經過，他認爲兇手甚至可能在手稿出版前就弄到手稿，即使他已經死了！很清楚的，那幾頁突然著火了。他趕快將火撲滅，所以只燒毀了兩頁。總之他一直感覺自己可能被殺。」

「他拿了手稿，離開商店，要關前門；可是這時候他必須回店裡找鑰匙。裡面很暗，他已經關燈了。感覺毛骨悚然。我確定店裡有個恐怖的傢伙要偷襲他，但沒有，他拿到鑰匙就離開商店了。他把門鎖住。起初拿錯鑰匙，後來用了一把較長的黃銅鑰匙，有尖角和稜邊的。它看起來很眼熟。」

海倫說到這個夢，「似乎是描述解開感覺與恐懼的心理轉折。即使實質的危害已經不存在，感覺兇手卻幽魂不散。早在我知道有天要寫我的故事之前，就已經作這個夢了，可是夢中的男人是在寫自己的經歷。我總是害怕我的父親，直到我快30歲他突然中風的時候。他會是夢裡的兇手嗎？那把眼熟的鑰匙，像父親一度擁有的酒吧所使用的那把鑰匙。也與我丈夫用來開某個工作場所的鑰匙相似。」

海倫夢到的店裡的男人也是海倫。他擁有鑰匙，可以鎖上並離開危險的處境，即使他要一點時間才找到正確的鑰匙。是有希望沒錯，可是你注意到夢裡的鑰匙可以連結到海

倫的父親和丈夫，還有酒吧，海倫童年故事裡的魔藥工廠嗎？我們在本節後半段還會再看到這兩位海倫生命裡的關鍵男性，我們也會再探討鑰匙，以及它和受驚嚇兔子之間的連結性。

紫衣與舞鞋

說到紫衣和舞鞋，海倫在許多夢裡都在試穿衣服和舞鞋，努力找到她覺得合適的形象。這是許多青少年時期的女孩會做的事情，試驗不同的裝扮，直到某次一拍即合，感覺完全對了。海倫記得，這是發生在她試穿一條合身無比的深紫色裙裝的時候。她感覺穿上這條紫裙賦予她力量，那正是她離家探索這個世界所需的。

紫色有許多不同的聯想，但對海倫而言，我覺得它有某種不符常規的意味，那讓她自由舞出令人興奮的、新的生命階段。它是主教使用的顏色，帶有靈性和尊貴的意義，也是皇家所屬的顏色，通常用於典禮上。

毒蛇

王后也傳給她另一個禮物，即更具雙面刃特質的誘惑稟賦，也相當適合海倫。她的書寫不時有驚人的魅力，帶來毒蛇、鴿子、珠寶、絲線和彩虹等引人入勝的象徵性！什麼男人能坐懷不亂呢？毒蛇有某些更邪惡的暗示性，有許多鬼怪傳說的女性角色，是半人半蛇，每週七天裡會有一天顯現蛇類的外形。希臘神話裡，住在洞穴裡的預言家西碧爾（Sibyl）就是其一，此外還有法國神話傳統裡長了翅膀的米蘇林（Mesuline），只要離開了愛人的視線，她就變立刻成一個蛇身怪物。

我們時常在這個人物身邊發現關於水的意象，她會化成蛇形，在湖裡洗澡或游泳。住在島嶼的賽倫（siren）女妖，會在礁岩上用歌聲迷惑水手，讓他們永遠無法離開。美人魚或海豹之類的傳說主角也構成這些神話意象，有些故事說海豹和凡人熱戀時就會變成人形。她們試圖順從男人的願望，並且和他住在陸地上，不過她們早晚要回到水裡，暫時恢復原型的自己才能活命下去，因不知情的戀人瞥見此時的女主角而釀成不幸！這段關係毀於一旦不說，她們甚至會將男人丟進湖裡給淹死。

　　我們很容易發現這點是多麼類似不讓男人太親密、太長久的特質，不是嗎？當人類的基本需求，被毫無保留的愛與擁有、歸屬，在童年就遭到否定時，他們最後可能陷於對親密感的渴望，和強烈害怕要達到親密所須付出的風險之間。神話和傳說裡精於引誘的這些女妖，具有不完全是人類的原型特性。這種渴望足以導致更優秀的誘惑技巧，以吸引男人進入親密關係，然而關於她有不同面貌這回事，是指這個女妖在七天裡必須有一天去實現她的蛇蠍本性，如此她的生命才不至於否定自我這個重要的部分，而招致原型的損害。

　　而這裡又是「秘密」！因為蛇自古以來就是性慾的象徵，也是基督教領袖迫不及待淨化和貶抑的古老陰性力量。海倫一穿上她的紫衣和舞鞋就發覺她所屬強烈的性吸引力，整個新的世界為她而開啟，即她可以在其中獲得一定掌控的世界。

　　海倫成為流浪的公主，是接近妖精祖母的表現。她顯然玩得非常瘋狂，那是探索的時期，是對抗幽閉恐懼般的家庭環境的解藥。但是身為人母之後，她的伴侶卻為她帶來許多痛苦和破滅，將海倫推入和禁錮於城堡的母親相彷的憂鬱症

裡。她向我們坦承自己忘了彰顯內在的邪惡，才落得這樣的下場。

邪惡不一定就是陰影面，就算它是，它也可能是靈魂的道路。我們可能不關心自己的這個部分，但最好是尊敬它，就像人魚或蛇妖的女人，《諾斯底福音》（The Gnostic Gospels，譯註：Gnostic又譯爲眞知派）一書提到，在《湯瑪士福音書》（Gospel of St. Thomas；譯註：《新約》中有四福音書，分別爲《馬太》、《馬可》、《路加》、《約翰》；但有人主張近年考古發現的「死海古卷」才是眞正的福音，據說湯瑪士福音就是被刪掉的部分。）裡耶穌曾說：「倘若你彰顯你裡面的，在你裡面必將解救你。倘若你不彰顯你的，它必將毀滅你。」（摘自Elaine Pagels，《諾斯底福音》）我們必須看待這句所指涉的，不但是我們認同的稟賦，還包括了我們的陰影。

兔子

退縮經常產生於憂鬱之中，海倫對此描述得很充分，故事裡那隻驚恐的兔子，道出那個害怕的小孩終究找到某種感情的表達管道。這次她作了個有力的夢：

「有兩個姊妹和她們的母親住在一起：一個是黑髮，另一個是金髮。黑髮的姊妹瘋了，她神智不清，危險且無法預測。她有一把刀子，她開始反覆戳入母親的頭部。那外面還有一隻長得極大的兔子，牠塞滿了整個籠子。我感覺很抱歉，只好躺在那裡，接受牠所處的環境。」

憂鬱儘管很難受，卻也可以是一條通道。它邀請我們挖得更裡面，並且面對我們的過去以及我們的深淵。我們通常困在憂鬱裡，我們毫無選擇。陷入憂鬱泥沼的人們需要援手來幫助他們穿越其間，而不是平空跳脫它。假如他們可以發

現甚至更往裡面的勇氣,到達導致痛苦的根源,他們將找到治療自己的種子。海倫覺得自己處在精神崩潰的邊緣,在她第一次去看治療師的時候,已經無法再控制她的情緒與症狀了。就像那隻夢裡的兔子大到塞滿整個兔籠,海倫的情緒也已經大到無法控制了,接受治療需要勇氣,因爲療法又稱爲說話治療(talking cure)。才經過一期治療,海倫就覺得有些改變,她拿到了鑰匙,即開啓憂鬱之門的鑰匙。

星星

占星術是介於舊與新、內在與外顯世界的橋樑,星星在海倫的故事裡成爲她對占星術與夢兩者的象徵,夢連結了她和我。以下是她這時候所作的某個星星之夢:

夜晚的星星

「有個我認識的男人開車載我出門。在清醒時,這個男人冷淡而拘謹。我們到一間很大的鄉間酒店裡。雖然裡面很暗,我知道這是個漂亮的所在,擁有漂亮的背景。這個地方有某種龐大,可說是壯觀的部分,而且,我有種早就見過這裡的感覺。

我走出汽車,我一見到夜空一覽無遺、眾星爭輝的絕美景象就目眩神迷。因爲我們是在斜坡上,所以可以看見比我平常所能看的更大的天空。那眞是神奇。我感受到宇宙如此強烈的愛。我走進酒店,店裡舒適而明亮。我的丈夫正坐在一張長坐椅上,他穿著一件棕色的飛行夾克。他生病了,但正在康復。我朝他走去。

我在一個地方,有條路從我頭頂上穿過,而且我們的左、右邊都有其他路。那些路都荒廢了,懸在我們頭頂上那

條路勾勒出天空的形狀。我和我的某任前男友在一起。這裡
又暗又冷，令人沮喪，還有許多垃圾，總之是棟相當醜陋的
混凝土建築。他的頭低垂著，我知道他遇到了什麼可怕的問
題。我能夠來了又離去，可是我知道，這裡就是他結束生命
的地方。」

男人

在這個夢裡海倫對星空的激賞，卻因男人的意象而蒙上
些許的陰影。只有在她走出某個已知醒時冷淡又拘謹的男人
所駕駛的汽車時，海倫才能領受夜空那不可思議的美麗。此
時的海倫是獨自一人的，男人顯然無法與她分享她的喜悅。

然後他的丈夫出現了，海倫在夢的工作坊剛開始的時期
認識、結婚的王子，在這個夢裡，他在酒店的現身絕非巧
合。很可惜，他的「病」就是他的酒癮，和她的父親一個模
樣。在那個從此以後幸福快樂的美夢破滅後，她承認她的婚
姻對象其實是她的父親，至少是另一個酗酒之徒；海倫終於
發現真正解除魔咒有多困難。

第三個男人，海倫的前男友，活在一個她可以自由進出
的黑暗、陰鬱所在，可是他卻困在那裡。顯然他並不在一種
支援她的狀態，過去的方式不是她真正可以重回的道路。

雖然丈夫也有父親的酒癮，海倫在夢裡走向他，她的願
望顯然是與他同行。然而這些男人似乎都沒有能力伴隨海倫
探索自我治療之道。這是一條她必須獨自踏上的旅程。

尾聲

海倫現在有第四個小孩，是個女兒，並以父系血統的母
語「信心」來命名。信心是個健康快樂的小孩，海倫在照顧

她的期間獲得了莫大的喜悅感和療效。她也同時研習占星術及夢工程，了解至少她的雙腳可以牢牢平穩地踩在適合自己的路徑上。

在結束之際，我們將要紀念海倫仍與家族詛咒奮戰的努力，藉由分享這個夢；它留下一個有點悲傷、卻充滿希望的註腳。

逃

「兩個被紅繩綁住的小孩，躺在另一個睡著的黑髮男人身邊。一個是男孩，另一個是女孩。我很清楚這兩個孩子的感受，恐懼無比的感受。恐懼使得他們動彈不得。我變成那個男孩，我們躺在這裡是因為，假如男人發現我們逃走了，情形可能比目前已知的恐懼更糟。也許我害怕的是，假如他來抓我們，就會宰了我們。」

「有股更強烈的衝動湧上心頭，同時，小男孩解開俘虜我們的紅繩。我知道假如我們繼續留在那裡，我們都難免一死，儘管死得沒那麼慘。我解開我和妹妹的繩子，然後爬起來，跑到另一個房間。我媽還在那裡，而且我想要帶她一起離開。」

「她倒在地板上，身體沒有骨頭。她告訴我們說，我們必須棄她而去。她說她已經來不及了，所以我們必須拋下她。我感到如此悲傷，因為我知道我們無法帶她一起走；我們太幼小、太瘦弱了，以致拖不動她，即使她沒了骨頭。我將向她道再見，然後，穿過敞開的門而離去。」

海倫在這個夢顯示了無比的勇氣，她體驗到，她變成一個可以解救自己和妹妹的小男孩。這是她真實的力量，以年輕的內在「陽性」形象代表她的行動，拯救她脫離了家庭詛

咒的束縛。

　　海倫只能盡全力，她無法帶她的母親走，畢竟為時已晚。沒有骨頭，就像水母一樣軟弱、被動，迷失於酒精所形成的同謀裡，包含她自身的酒癮亦然。為了解救自己，海倫必須完全放掉母親的生存方式，現在她必須踏上自己的旅程，如此她方能以不同的態度來回應丈夫的酗酒問題。

　　她的勇氣也展現於分享她的故事給讀者們，傾訴秘密，再次打破家族的禁忌，而我更是對她深深感激。她始終在學習如何更加善用她的天賦，或許她必須傳授更多給她的孩子們，在他們有需要時。不過那些幽靈和鬼怪，如今由於她搖晃玫瑰花叢而紛紛離開她的花園，所以說，她現在就會找到愈來愈多星星了！

結論

　　將夢和清醒的經驗編織起來，是具意義與創造性的任務。其真實地連結我們與祖先，我們與神話故事傳統，以及我們與我們在神話裡遭遇的原型。它是宏觀而深度的工作，為周而復始的生命賦予意義。

　　假如要寫自己故事的預設目標讓你害怕，何不先試著重寫一個夢，將它當成一個完整的故事？當然它確實就是！只要融入敘事者的角色，而且照實陳述。或者先寫下你每天怎麼過的故事，然後向前推展你夢裡或白天的故事，使之成為你所選擇的不同結局。大膽的放手去改寫！

　　你可能決定強調，並塑造某個特殊的人物，如此他們逐更能體現夢裡的身分，讓你去摸索對於後來可能證實為你的潛在人格的感受。又，或許你可以試著從其他某個角色的觀點來重寫同一個夢，試著融入他們軀殼之中，通過他們的眼睛去體驗這個夢——然後從那個位置來寫。這會是個極具啟發性的經驗，並對陳舊的情境產生全新的覺察。

　　除了你以外沒有人需要看你寫的任何東西，所以不要把它當成作品的呈現，而試著完整而流暢地自我表達。你將驚訝於筆下自動湧出的內容。

透過整本書的練習，你學到某些我在個人發展課程裡教授的技巧，即夢的工作體驗。我企圖給你的不只是技術，還包括某些在夢背後的心理學基礎，以幫助你更理解夢所達至的意義。

　　依序做完這些練習後，迄今你將明白夢工程沒有捷徑，或權宜之計。你學到的技巧都是生命的技巧。它們甚至不需要依附任何夢！你可以在所有清醒的情境下使用這些技巧，將該情境視如一個夢境，然後，應用你從這種新的觀看方式所獲得的覺察。

　　多年來，我和各式各樣人們工作的經驗告訴我，假如你現在繼續利用這些技巧，你的生命將孕育更多意義。你會開始感覺你的身體更自在，你的感受的律動也更輕鬆，還能夠在你陷入過度的焦慮時，讓你的思緒平息下來。

　　為自己設定繼續工作的目標，也許承諾自己再工作三個月或半年。然後回顧你的紀錄，觀察你從這些工作裡獲得的知識，如何影響你的人際關係與生命事件。或者你可以聚焦在生命的特定方向，請求你的造夢者協助你在接下來的數週或數月裡處理它，記得保持開放以及接納你的夢所帶來的所有一切。

　　只要你真正去作，這種方法就會為你服務，但是你必須謹記在心，絕不要為了改變而去改變，儘管你偶爾會決定重大的改變。它更像是一種緩慢的、漸進的自我成長，開始透過很多細微的方向自然的展現之。最終你的朋友也將注意到，有些人會不可置信，他們決定無論你做了什麼，他們也想來點改變！如此你就可以邀請他們來和你分享他們的夢，並且協助引導他們跨出他們旅程的第一步。假如你覺得你想這麼做，你可以寄發我以這種方式組織分享夢的同儕團體的

資料簡章。

　　從你的經驗開始到現在，你已經知道自己所工作的夢的旅程，乃是一趟冒險與探索，但是最後一項，是自我治療之旅。有時候它可以是艱難而吃力的，但也是深刻回饋與啓發性地成就靈魂的眞實旅程。

　　我的想法，與最溫暖的祝福都將伴隨著你，我希望，有時候還可以在夢境裡見到你。祝你一路順風。

　　讓自己靜止下來，並且認識眞實的你自己。

相關資源

　　想索取英國地區的「轉變夢的工作坊」工作者與團體的名單，或幫助你開始自己的團體的資料簡章，請聯絡：

＊Maggie Peters瑪姬・彼德斯

＊Atcombe Court Wing, Atcombe Rd. South Woodchester, Nr Stroud, Gloucestershire GL5 5ER, England

＊Tel: +44 (0)1453-872709

　　假如你找不到所在附近地區，你可能會想尋求受過超個人心理學訓練的治療師。相關細節都在：

＊The Centre for Transpersonal Psychology

（倫敦）超個人心理學中心

＊86A Marylebone High Street, London W1M 3DE, England

＊The Institute of Transpersonal Psychology

超個人心理學學院

＊774 San Antonio Road, Palo Alto, California

＊Tel: +650-493-4430

　　本書所有圖表部份為瑪姬・彼德斯所作，除了榮格四大功能圖解，與阿沙鳩里的自我發展圖。原出版商已盡一切努力考察本書所引用的文句和摘錄段落的版權所有，與取得使用授權，若有未盡謝意的朋友，在此一併感謝之。

國家圖書館出版品預行編目資料

作夢練習本／瑪姬.彼德斯（Maggie Peters）著；鄭文琦譯.
-初版.-臺北縣永和市：地球書房文化
2004〔民93〕面； 公分.（知識港口；1）
譯自：Dreamwork；using your dreams as
the way to self-discovery and personal development
ISBN 957-29401-8- X （平裝）
1.夢 2.超心裡學 3.自我實現（心裡學）

175.1 93006135

作夢練習本

作　　者 / 瑪姬・彼德斯（Maggie Peters）
譯　　者 / 鄭文琦
發 行 人 / 羅智成
責任編輯 / 葛庭甄
美術編輯 / 林世鵬
插　　畫 / 克洛特
校　　對 / 黃健群
法律顧問 / 永然聯合法律事務所
出 版 者 / 地球書房文化事業股份有限公司
地　　址 / 234 台北縣永和市保生路22巷8號8樓
電　　話 / (02)2232-1008
傳　　真 / (02)2232-1010
網　　址 / books@ljm.org.tw
印　　刷 / 永光彩色印刷股份有限公司
電　　話 / (02)2223-2799
總 經 銷 / 農學股份有限公司
電　　話 / (02)2917-8022
初版一刷 / 2004年05月
定　　價 / 280元　 ISBN 957-29401-8- X （平裝）